LE POULPE

CASTRO, C'EST TROP !

ISBN : 2-84219-350-8

ISSN : 1265-986X

© ÉDITIONS BALEINE – LE SEUIL 2004

LE POULPE
Jean-Jacques Reboux

CASTRO, C'EST TROP !

LE POULPE

ÉDITIONS BALEINE

À Nestor, Angel, Teresa, Almeris,
Azaléa, Alfredo, Jose-Antonio
et tous les autres Cubains de rencontre

Salut confraternel à Cesare Battisti

Pour Francine

« *Je suis un désastre comme mon passé*
Un mauvais rêve comme mon avenir
Et une catastrophe comme mon présent. »

Raúl Rivero,
journaliste et poète cubain
arrêté le 20 mars 2003
et condamné à vingt ans de prison

Le texte de la correspondance de Manuel Vázquez Portal, diffusé par le site cubanet à Miami, a été publié dans le supplément été 2003, « Vivre hors du monde », de *Courrier international*.

Les lecteurs désireux d'avoir plus d'informations sur l'arrestation de Cesare Battisti et les mensonges d'État qui l'ont accompagnée peuvent consulter les sites www.vialibre5.com et www.mauvaisgenres.com.

En ce qui concerne les droits de l'Homme à Cuba, consultez le site de Reporters sans frontières : www.rss.org, qui vient de publier *Cuba, le livre noir* (éd. la Découverte).

L'auteur tient à remercier les Missions Stendhal qui lui ont permis de séjourner à Cuba.

1

Lorsque l'Airbus A320 d'Air France foula la piste de l'aéroport international José Marti, Gabriel Lecouvreur poussa un cri de joie tellement puissant qu'il fit sursauter les dix-sept plus proches passagers de l'aéronef, à l'exception de la vieille dame sourde comme un pot de la rangée 38 plongée dans la lecture de la Bible, totalement insensible à ses stridents décibels. Depuis cinq heures qu'il jouait comme un mioche à cet insupportable petit jeu aussi stupide que captivant, il avait enfin réussi à dégommer un maximum des bidules fluorescents qui le narguaient depuis que l'avion s'était envolé de Roissy. Record battu, là, au moment précis où les trains d'atterrissage faisaient la jonction avec le plancher des vaches. Comment déjà, en espagnol ? *Las vacas*. Bueno. Facile. Gabriel eut une pensée émue pour Pedro qui s'était éteint quatre mois plus tôt. C'était un peu pour ça qu'il avait accepté de faire le voyage aux Caraïbes. Retrouver une part de son Pedro. Le Catalan était venu deux fois dans l'île. Une première fois en 1961, il avait fait le voyage dans le même avion que Jean-Paul Sartre et Simone de Beauvoir, avec qui il avait bu un *mojito* au bar de l'hôtel Habana Libre. La seconde quelques années plus tard, à l'époque où les révolutionnaires français venaient aider leurs frères cubains à réaliser les lubies ubuesques de Fidel. Les plantations de café autour de La Havane, qui avaient lamentablement échoué parce que le sol ne se prêtait pas à ce genre de cultures et qu'on ne s'improvise pas agronome... Plus tard, il y avait eu la fameuse récolte des dix millions. 1970. *La zafra de los dies milliones.* Dix millions de tonnes de canne à sucre. Pedro avait de nouveau fait le voyage. Mais on ne s'improvise pas coupeur de canne, et la *zafra* n'avait pas tenu ses promesses. « Vous êtes en droit de demander mon départ ! » s'était écrié Fidel plaza de la Révolucion, pour la première et dernière fois. Bien sûr, il était resté. Pedro était revenu de Cuba un rien désenchanté, les mains pleines de crevasses ! En bon anarchiste, il ne pouvait pas croire aux vertus du communisme, et les discours simplistes de Fidel le mettaient dans une rogne épouvantable. À l'époque, Gabriel était trop jeune pour comprendre les intenses convulsions révolutionnaires qui agitaient la planète. Depuis, il avait eu le temps de se rattraper. Et de se faire rattraper, surtout. Personne n'est à l'abri de l'Histoire. Même dans un avion qui vole à dix mille mètres d'altitude au-dessus du grand bleu.

Pourtant, Gabriel se sentait bien là-haut. Le voyage ne se présentait pas si mal, malgré la douloureuse mélancolie qui déployait ses tentacules depuis qu'il avait perdu son ami le plus cher. Le salut est parfois dans la fuite, *compañero*! Des années plus tard, Pedro avait avoué à son protégé que son second voyage à Cuba était essentiellement motivé par les beaux yeux de Melida, linotypiste dans une imprimerie de Holguin. Il n'avait jamais voulu lui dire pourquoi il ne l'avait pas ramenée avec lui... Oui, il se sentait bien. 8 807 points. Beaucoup mieux que son voisin, un barbichu à l'accent américain portant bretelles et casquette, photographe de son état, un peu énigmatique avec ses faux airs de Léon Trotski, et qui n'avait pas dépassé les 5 000, ainsi qu'il le lui avait fait remarquer une heure plus tôt, alors que l'avion s'apprêtait à entamer la traversée périlleuse du triangle des Bermudes, comme c'était écrit sur le petit écran de contrôle qui indiquait aussi la température extérieure, l'altitude et le nombre de kilomètres restant à parcourir. Content. Il était content. Généreux, il se tourna vers son voisin dans le but de partager sa joie. Personne. Plus d'Américain. Ses affaires étaient toujours là, posées sur le siège et la tablette en plastique. *L'Express*. *The New York Time*. Un appareil photo numérique dernier cri et le guide Lonely Planet Cuba, édition 2001. Mais plus de voisin... Et pourtant, il était bien là au moment où l'hôtesse de l'air avait passé les troupes en revue, à l'heure du rituel « attachez vos ceintures ». Ah, la délicieuse mimique de l'hôtesse remerciant les bons élèves d'un sourire béat, glissant un œil courroucé sur les petits distraits qui se croyaient au-dessus des périls. Bah! Peut-être était-il retenu par un problème organique au petit coin. À moins qu'il ne soit descendu à l'escale des Açores...

Gabriel sursauta. Les Açores? Une escale?... Crétin des Alpes! Bien sûr qu'il n'y avait pas d'escale! Les Açores! Il y avait plus de chances que l'Amerloque ait disparu corps et biens dans le triangle maudit! Peut-être était-ce ce qui l'attendait, lui, Gabriel Lecouvreur, quarante-cinq ans aux fraises? Le bel âge pour perdre la boule... Depuis quelques semaines, le Poulpe se délitait. Il ne se remettait pas de la mort de Pedro, ni de la disparition de sa vie de Cheryl, l'une ayant entraîné l'autre, même s'il s'en défendait. Pendant des années, elle avait supporté ses absences répétées, ses infidélités notoires, ses fantasmes fantasques de Zorro, mais la dépression post-Pedro avait été la goutte d'eau... « Si tu ne veux pas te soigner, tire-toi, Gabriel! Je ne vais pas finir mes jours avec un ectoplasme... Connard! » Le vocable qui tue. Il avait fait ses valises, trois fois rien, s'était exécuté sans même l'embrasser. En bas de l'escalier, il s'était senti péteux comme un qui abuse de la mojette. Il s'était installé dans l'appartement de Pedro, qui avait fait de lui son unique héritier. Ce n'était peut-être pas une très bonne idée...

Il remonta le petit appareil électronique dans sa niche sur le siège avant et s'étira en jetant un œil par le hublot. Au loin, les bourrasques de vent faisaient ployer les palmiers, la pluie crépitait contre le plexiglas, d'impressionnantes gerbes de flotte voltigeaient dans l'air. Quelques minutes plus tard, l'aéroplane s'immobilisa en bout de piste, la voix du commandant de bord annonça que la température extérieure à La Havane était de 27° Celsius, et Gabriel, tout à la joie enfantine qui s'empare à l'atterrissage de n'importe quel voyageur normalement constitué – les blasés du jetlag ne savent pas ce qu'ils perdent –, se relâcha un peu. Il voyait déjà les titres des journaux. « Mystérieuse disparition d'un passager en plein vol au-dessus du triangle des Bermudes. Au même instant, dans sa luxueuse villa de Siboney à La Havane, Fidel Castro, dictateur au pouvoir depuis quarante-cinq ans, succombe à une crise cardiaque... » Car c'était sûr, certain, inévitable : Castro allait casser sa pipe durant son séjour à Cuba ! Gabriel se marrait comme un petit fou. Un peu plus tard, il foulait le sol de Cuba.

Gabriel se demandait où avait bien pu passer son Américain à bretelles. Bizarre, tout de même, cette disparition... En ôtant sa ceinture, il n'avait pu résister à l'envie impérieuse, presque instinctive, de s'emparer du magnifique Nikon gris métallisé qui trônait sur le siège de Trotski. Vite, il avait glissé l'appareil numérique dans son sac à dos, en se courbant en deux pour être sûr de ne pas être vu de l'hôtesse dont les seins plantureux heurtèrent le sommet de son crâne lorsqu'il se releva.

Gabriel s'était demandé, non sans gêne, si son sourire entendu signifiait qu'elle avait remarqué son geste indélicat ou s'il s'agissait d'une échappée coquine – les hôtesses de l'air ont beau être des professionnelles du contact humain, elles n'en restent pas moins femmes, même que ça doit bien leur arriver de temps en temps de s'envoyer en l'air avec un passager, façon Emmanuelle, nom d'un chien! Gabriel avait rougi, petite érection consécutive à l'évocation du fantasme aérotique, alors que la fille de l'air l'avait déjà rayé de son champ visuel. Il avait suivi le troupeau des passagers dans la travée, non sans repiquer au trouble en passant devant l'hôtesse qui lui soufflait, avec un sourire plein de promesses, un bon voyage à Cuba.

Et, davantage pour se donner une contenance que pour poser une question à laquelle, il le sentait confusément, il n'y avait aucune réponse à attendre, il lui demanda :

– Vous n'avez pas vu l'homme qui était assis à côté de moi, mademoiselle? Un Américain... avec une...

– Avec une?

Gabriel gribouilla un bouc avec ses doigts.

– Vous savez, comme Trotski!

– Barbiche?

– Oui, c'est ça, avec une barbiche... Il a disparu.

– Disparu?

Gabriel fit l'oiseau. La fille se retenait de rire.

– Mais oui. Pfft! Envolé... Plus de Trotski!

Sur la lancée, il ne put s'empêcher de sarcler l'air d'un coup de piolet au-dessus de sa tête. La créature en tailleur bleu hocha la sienne, avec un rien de commisération. Puis elle se mordilla délicatement l'ongle du pouce droit d'un geste assez peu professionnel et lui fit cette réponse déconcertante :

– Mais monsieur, il n'y avait personne à côté de vous !

– Personne ? Mais… vous me faites marcher, mademoiselle…

– C'est vous qui me faites marcher, monsieur ! Excusez-moi, mais je suis obligée de vous laisser…

Gabriel éclata de rire, mais le cœur n'y était pas. Elle était pourtant drôlement belle, l'hôtesse. Des visions fugaces d'étreintes lascives lui traversèrent l'esprit. Sylvia Kristel n'avait pas pris une ride. Oh, pas longtemps ! Le temps que, quelque part au fond de lui, enfle la petite musique de la mélancolie qui ne l'avait pas quitté depuis la mort de Pedro. Enfle, enfle… et se réveille. Gabriel Lecouvreur, que bien peu de gens appelaient encore le Poulpe en cet hiver 2004, tant il avait baissé pavillon ces derniers temps, inclina la tête comme un bambinet grondé par la maîtresse. Usé, il était. Pas un tentacule pour racheter l'autre. Les jambes ne suivaient plus la tête, et la tête ne dictait plus aux membres ! Les lois de la physique étaient ébranlées, Newton était bon pour la casse…

Il se frappa le front.

— Newton !

— Pardon ?

— Non, rien… je, excusez-moi…

L'hôtesse avait l'air sincèrement désolée pour lui.

Gabriel se sentit tout à coup très malheureux. Difficile d'avouer à la fille que le sosie de Trotski lui avait parlé de Newton, Helmut, pas Isaac. Il n'avait pas rêvé, beauseigne ! Lui avait raconté avec force émotion sa rencontre avec le grand photographe mort au début de l'année dans un accident de bagnole, mazette, l'air triste qu'il avait en lui racontant ça. Gabriel avait enchaîné avec Pedro, et là, onze mille mètres au-dessus de la crête blanche des vagues, en plein milieu de l'Atlantique, quelque chose s'était passé… Gabriel, pour la première fois de sa vie peut-être, s'était senti investi d'une force inconnue, un truc qui le dépassait, le trac des cimes, une sorte de pensée magique, il s'était dit que peut-être, derrière tout ça, derrière toute cette salade psycholo à trois euros, planait quelque chose de plus insidieux, quelque chose comme la main de… La main de ?… Oui, c'est ça ! et d'ailleurs, dans insidieux, le mot n'était-il pas écrit en toutes lettres : DIEU ! Même *in petto*, dans son for intérieur, entre lui et lui, il n'osait prononcer le mot.

La main de Dieu !

— Oh, nom de Dieu… J'délire, moi…

Gabriel était en sueur. L'hôtesse avait de plus en plus de mal à masquer sa consternation.

– Je, excusez-moi, marmonna-t-il. Je perds la tête…

Et sa tête, il la baissa, il y a des jours comme ça, où il faut boire le calice jusqu'à la lie. Il aurait voulu la visser dans son cou tellement il se sentait pitoyable. Incapable de savoir si la remarque de l'hôtesse était du lard ou du cochon – ou de l'hallal, aurait ajouté sa copine Enorah, qui n'avait de musulmane que l'ascendance. Il ferma un instant les yeux. La gueule édentée de Pedro remplaça celle de l'hôtesse. *Tou sais pourquoi Castro a fermé les églises, Gabriel?… Parce que les fidèles cassent trop, ah, ah, ah!* Le rire redondant de Pedro lui redonna un peu de baume au cœur, même s'il avait le goût salé des larmes. Il l'avait encore en tête lorsqu'il tendit son passeport au douanier impeccablement sanglé dans son uniforme marron du box 6 de l'aéroport José Marti. Il se demandait bien ce qu'il venait foutre là. Il repensait avec amusement aux circonstances ahurissantes qui avaient précipité ce voyage imprévu. Est-ce que quelqu'un l'attendait derrière le poste de douane? En toute logique, oui. Il en doutait cependant. Dans sa main, le carton tromboné au billet d'avion indiquait « Hôtel Lido. Calle Consulados. Vieja Habana ». Si ce n'était pas à l'aéroport, ce serait sûrement là-bas, oui. Il n'arrivait pas à croire qu'on l'avait invité à Cuba simplement pour faire du tourisme.

La suite lui prouva combien il avait raison.

2

Cela faisait à présent plusieurs minutes que le manège durait. L'œil acéré du douanier allait du passeport à son propriétaire. Le Cubain à moustache épluchait le passeport avec une imprégnation savoureuse, proche de la délectation. Gabriel n'osait l'interrompre. Il avait bien entendu parler de la méfiance légendaire des douaniers cubains, mais c'était à une époque révolue. Depuis quelques années, « l'île du docteur Castro », comme l'appelaient deux journalistes français, auteur du livre éponyme, s'était ouverte au tourisme et leurs inespérées devises ; sans ce pactole, elle se serait enfoncée sous la mer. Chaque année, plus de cent cinquante mille Français se rendaient à Cuba, destination érigée en must exotique, et c'était lui qui écopait de l'effeuillage douanier du siècle ! Lui, Gabriel Lecouvreur, ennemi devant l'Éternel de l'ordre flicaillon, et pas l'un de ces ploucs de base qui allaient en rangs serrés se dorer la pilule sur les plages de sable fin de Varadero et s'en revenaient dans leur vieille Europe le teint hâlé, les yeux bouffis de rhum, la tête pleine de *salsa*, les couilles vides pour certains, sans

21

avoir quasiment rien vu du vrai Cuba, celui des survivants. Gabriel s'énervait. Il avait beau avoir lu dans les guides qu'à Cuba le temps est relatif, la patience une philosophie et la queue un sport national, juste après le base-ball, la boxe et la lutte gréco-romaine, il fallait tout de même avoir les nerfs solides pour ne pas se laisser aller aux démons gaulois. La paranoïa pointait le bout du pif. Il se voyait déjà retenu à l'aéroport, livré aux vexations d'un fonctionnaire pointilleux, un qui aurait fait une mauvaise nuit et décidé de se venger sur le premier quidam venu. De la tracasserie au cachot, il n'y a parfois qu'un pas. Celui de la poisse, qui lui collait à la peau ces foutus temps derniers, pas de raison que ça s'arrête. Le monde s'était écroulé avec Pedro. Pour la première fois de sa vie, le Poulpe avait pris des antidépresseurs. La boîte de Xanax à disposition dans la poche ventrale, en cas d'angoisse persistante. Il s'était gavé de livres sur la question. Il avait même lu le livre de Philippe Labro et, à sa grande surprise, lui qui en d'autres temps aurait savouré que les nantis ne fussent pas à l'abri de la dépression, il avait éprouvé une certaine empathie pour l'auteur, oui monsieur. C'est comme ça, il n'y a que les imbéciles qui ne changent pas d'envie.

Gabriel remit les pieds sur terre. Il était à Cuba, nom de Dieu, pas à Saint-Germain-des-Prés ! Ici, les motifs de névrose avaient une autre gueule. La dépression était partout, elle avait jeté l'ancre, elle suintait des pierres, pervertissait les esprits ; même si les Cubains avaient le chic pour la transcender avec leur humour insensé, elle était pour ainsi dire devenue une seconde nature... Le douanier sourcilleux qui désossait son passeport, en tout cas, semblait à l'abri de la pathologie insulaire. Devait pas mal se foutre de la souffrance de ses frères de misère, celui-là ! Cuba ou pas Cuba, il n'y avait pas de raison que la poisse marque le pas.

C'est ce qu'il se disait, Lecouvreur Gabriel.

Il repensait à cette lettre d'un prisonnier politique lue dans *Courrier international*, parmi la masse d'informations qu'il avait dévorées pendant la semaine précédant son départ. L'année d'avant, Castro avait mis à profit la torpeur planétaire qui entourait la guerre en Irak pour emprisonner soixante-quinze dissidents qui avaient juste eu le malheur de signer une pétition appelant le régime à organiser des élections libres : le projet Varela [1]. Du nom du prêtre patriote cubain, héros de la guerre d'indépendance. Mais même si

---

1 Le projet Varela, initié par Oswaldo Paya, fondateur du Mouvement chrétien de libération, se proposait de recueillir plus de 10 000 signatures pour imposer au Parlement une modification de la Constitution. Il a été dévoilé en février 2002 et défendu publiquement à la télévision cubaine par l'ancien président américain, Jimmy Carter. Oswaldo Paya, qui reçut en 2003 le prix Sakharov du Parlement européen, ne fit pas partie des soixante-quinze dissidents arrêtés par Castro.

le régime craquait, les lézardes ne concernaient que les étrangers, qu'on accueillait à bras ouverts et qui pouvaient presque tout se permettre, du moment qu'ils raclaient du billet vert. Pour ce qui était des Cubains, Castro affichait l'âge de ses artères : l'assouplissement n'était pas à l'ordre du jour. Les soixante-seize dissidents qui ne demandaient rien de plus qu'un peu de liberté en savaient quelque chose, qui moisissaient en taule. À eux tous, ils avaient écopé de 1 450 années de prison. Avaient-ils eu plus de chance que les trois jeunes Noirs fusillés pour avoir tenté de détourner un ferry-boat vers les États-Unis, en ce même mois de mars 2003 ? Valait-il mieux mourir ou moisir en prison ? On pouvait en douter... Les geôles castristes n'avaient rien à envier aux cachots staliniens des sinistres années, comme en témoignait cette lettre d'un détenu de la prison de Boniato, à Santiago de Cuba... L'homme se nommait Manuel Vázquez Portal, il avait été condamné à dix-huit ans de réclusion lors de la vague de répression d'avril 2003. Sa lettre avait été publiée sur un site internet cubain de Miami, puis reprise dans *Courrier international* durant l'été 2003. C'était titré : *Dans ma cellule cubaine*.

Gabriel ne pouvait s'empêcher de la réciter en boucle, il l'avait apprise par cœur. Une façon comme une autre d'exercer sa mémoire défaillante, mais sûrement pas le meilleur moyen de se doper le moral...

La cellule (n° 31) fait environ un mètre et demi de large sur trois de long. La porte garnie de barreaux est à moitié recouverte d'une plaque d'acier. Une fenêtre à barreaux orientée vers la partie est du bâtiment laisse entrer le soleil, la pluie et les insectes. Le prisonnier dort sur un lit à montants métalliques garni d'une planche en bagasse [résidu de canne pressurée] et d'un matelas dur, en vieux coton sale. Les toilettes, à la turque, n'ont pas de siphon et exhalent en permanence une puanteur nauséabonde. À cet endroit, dans la partie supérieure, se trouve un robinet d'eau pour se laver et boire...

Gabriel avait découpé la lettre et l'avait pliée dans sa poche arrière, pas forcément une très bonne idée quand on entre à Cuba. Il se palpa discrètement la fesse. Oui, elle était bien là... Il crevait de chaud, la sueur coulait sur son front. Et si on le fouillait ? La panique le gagnait.

Tout à coup, il sentit le regard persistant du douanier posé sur ses lèvres.

– *Mucha calor !*

L'homme lui adressa un sourire bienveillant, mais il ne semblait pas décidé à lui rendre son passeport.

Gabriel avait l'impression de sortir du sauna. En plus, il était parti avec ses chaussettes et, dans la précipitation, avait gardé ses grolles de randonnée. Il essuya la sueur qui coulait sur ses tempes. Dire quelque chose, ne pas donner l'impression que tu flippes comme une bête.

– *Si, mucha calor…*

Pas de table, pas de chaise, ni de meuble quelconque où poser ses affaires personnelles. Ni drap, ni oreiller, ni moustiquaire, ni couverture de lit. Pas de radio, pas de télévision, pas de journaux, pas de livres. Pas de couverts, pas de verre ni de broc. Tout est en plastique et fourni par les proches. Il n'y a pas de serviette de toilette. On viole notre intimité en lisant notre correspondance. Chaque jour, la cellule est inondée par les eaux usées provenant du couloir. Le plafond fissuré a des infiltrations et goutte abondamment dès qu'il pleut… L'immeuble est entouré d'un mur de huit à neuf mètres de haut. Construit il y a plus de soixante ans, le bâtiment est infesté d'une population animale assez nombreuse pour ouvrir un zoo : rats, cafards, scorpions, différentes sortes de fourmis, mouches et moustiques. Une heure par jour, ils nous font sortir séparément dans la cour. Là, ils nous enlèvent les menottes, puis nous les remettent pour retourner dans la cellule. Les samedis et les dimanches, nous n'avons pas droit à la promenade ; nous passons alors presque soixante heures sans sortir de nos cellules…

– Tout va bien, señor ?

– *Si, si, gracias.*

Le douanier tapota du doigt son passeport.

– Je crois qu'il y a un léger petit souci, señor. Ne bougez pas d'ici, *por favor.*

Puis, sans le quitter du regard, il passa un bref coup de fil. Un policier arriva, puis deux, puis trois. En quelques secondes, ils étaient cinq, dont deux basanés, un mulâtre maigre comme un clou, un autre qui déteignait façon Bambi Jackson.

Putana de mierda, je suis tombé dans un putain de piège! Mais qu'est-ce que je suis venu foutre ici!

Le témoignage continuait à défiler sous ses cheveux.

Les repas sont presque indescriptibles, tant il faut faire preuve d'imagination pour deviner leur composition. Petit déjeuner : du pain (je ne sais toujours pas avec quoi il est fabriqué) et du chorote, une boisson épaisse constituée de farine de maïs grillée et cuite avec beaucoup d'eau et du sucre. Je ne touche ni à l'un, ni à l'autre. Déjeuner : soupe (de l'eau, de la farine de blé et une herbe impossible à identifier) ; du riz, de la farine de maïs ou des coquillettes, sans jamais aucune matière grasse, ni aucun autre ajout. Ces plats se succèdent tous les jours de la semaine, hormis les rares fois où l'on nous sert du hachis de soja ou une pâte blanche, visqueuse, à base de farine de blé et de substances inconnues...

Les visions d'horreur se percutaient. Arthur London croisait Nelson Mandela. Le bagne de Tamanrasset, le Goulag, la Tchétchénie, Srebrenica, Guantanamo, les couloirs de la mort étasuniens, les centres de torture de Pinochet, les monceaux de cadavres entassés dans les fosses communes, charriés par des rivières rouge sang... Il reprit sa petite récitation.

Une ou deux fois par mois, ils nous servent un repas « spécial » : un petit morceau de poulet, du riz, de la banane plantain et de la zambumbia [boisson à base de jus de canne à sucre fermentée], qu'ils appellent café. Même chose au dîner. Je ne connais pas le reste de la prison, sauf les barbelés, les douves et les miradors, que j'ai aperçus lorsqu'on m'a emmené à l'hôpital, à deux reprises, pour mesurer ma tension artérielle...

Gabriel se sentit vaciller. Envie de vomir. Maîtriser sa peur. Lui n'était qu'un touriste. T'as qu'à ouvrir les yeux, le cagnard qui te cuit la peau... Pas venu à Cuba pour faire des vagues, ni même de la plongée, d'ailleurs, si ça se trouve, je ne vais même pas me baigner, moi... Puis, il se ressaisit et finit par comprendre la raison de tout ce cirque : il avait embarqué par mégarde un passeport autre que le sien. Ça lui apprendrait à fouiller dans les affaires de Pedro. Il commençait à avoir peur. Certaines choses lui échappaient. Comment se faisait-il qu'ils ne se soient rendu compte de rien à la douane française ?

Les cinq hommes en uniforme proféraient des messes basses. Son passeport faisait un effet bœuf. Bœuf, *cerdo*. Pas mollir, Gabriel. La moindre cellule perdue était un pas vers le ramollissement cérébral.

— Vous êtes de la famille du *presidente* ?
— Le *presidente* ?...
— *Si*.

– Euh… je…

Gabriel bafouilla un flot de borborygmes.

Les Cubains se tenaient les côtes. Sans se départir du sérieux inhérent à la fonction malgré tout. Ils avaient de la gueule dans leurs uniformes impeccables. Un équilibre précaire, qui tenait à peu de choses. Suffit d'un pet de mouche et c'est parti pour un remake de *Midnight Express* version *Crocodile Caraïbes*. Il était terrorisé. Son dos avait des allures de nappe phréatique. Ses chaussettes lui faisaient l'effet de bouches d'égout tellement ça dévalait. À présent, ils étaient au moins une dizaine, rassemblés autour du comptoir. Les derniers passagers du vol Air France en avaient fini depuis longtemps avec les formalités. Il ne restait plus dans la zone franche que des Cubains. Un à un, tout ce que l'aéroport comptait d'oisifs en maraude rappliquait. Femmes de ménage, vigiles, vendeurs de souvenirs. Les talkies-walkies crépitaient. Le passeport de Gabriel passait de main en main. Les éclats de rire succédaient aux blagues. Il avait l'impression d'être une bête de foire. On le reluquait avec insistance. À ce train-là, dans pas longtemps, on allait lui flatter les mâchoires comme à un canasson.

– *Como esta, señor Presidente ?*

Une voix aiguë, genre cauchemar d'opérette. La femme qui venait de prononcer ces mots tenait d'une main un seau, de l'autre un balai. Sa blouse tapioca lui faisait penser à tata Marie-Claude.

Elle riait aux éclats, ouvrait grand la bouche, il lui manquait plus de dents qu'elle n'en avait, il était triste pour elle. Vingt-cinq Cubains bigarrés riaient à l'unisson. Gabriel remarqua qu'il y avait au moins trois couleurs d'uniformes différentes. Il pensa à Manuel Vázquez Portal et aux soixante-quinze autres. Et soudain, la raison de ce tintamarre le frappa comme une évidence... *J'ai dû me gourer. J'ai pas pris le bon passeport ! La douane française n'a rien vu, mais là...*

Une petite vérification s'imposait. En avoir le cœur net. Doucement, il se gratta la cuisse et profita de la manœuvre pour palper la poche latérale droite de son futal d'aventurier. Cinquante euros au surplus de la rue Pasteur. Il sentit sous ses doigts un objet rectangulaire. *Putain, j'en ai pris deux ! Putain, j'ai pas donné le bon ! Quel con !... Mais quel con...* Pas le temps de pousser plus loin l'introspection. Le verdict tomba aussitôt, de la bouche d'un gros chauve aux sourcils broussailleux nouvellement arrivé. Celui-ci dépassait ses collègues de deux têtes, et lui ne rigolait pas, mais alors pas du tout.

— *Tenemos un pequeño problema, señor Bouche !* Veuillez nous suivre, s'il vous plaît.

Señor Bouche ?

Bouche, *boca*. Pas besoin de méthode Assimil.

— Je ne m'appelle pas... Bouche... bégaya Gabriel.

Le chauve traduisit à la cantonade :

— *Dice que no se llama Bush !*

Les Cubains riaient à gorge déployée.

– *Dice que no se llama Bush [1] !* répéta le chauve en brandissant la pièce à conviction. *Si no te llamas Bush, yo soy el Papa !* articula-t-il en se frappant la poitrine.

Gabriel s'effondra sur le linoléum, terrassé par la chaleur et l'émotion. L'arrière de sa nuque heurta l'arête du comptoir dans la chute. Avant de tomber en syncope, il eut le temps de penser : *Le Bush... J'ai pris le Walker Bush ! Putain, Pedro ! Pourquoi tu m'as fait ça, hijo de puta...*

---

1 Il dit qu'il ne s'appelle pas Bush ! Si tu ne t'appelles pas Bush, je suis le pape.

3

Il regarda autour de lui. Il était allongé sur un matelas posé à même le sol, dans une pièce de deux mètres sur trois avec une petite fenêtre munie de barreaux. Les murs étaient blancs et propres. Il était seul. Dehors, un soleil radieux. Une douce sensation de fraîcheur l'envahit. Il avait presque froid. La cellule était climatisée. Rien à voir avec la geôle sordide de Boniato.

Il essaya de se lever mais ça n'allait pas fort. Il avait mal au crâne. Une douleur légère, mais tenace, derrière l'oreille droite. Il passa le doigt sur la cicatrice. Il avait un pansement. Il avait dû se faire ça en tombant, la mémoire revenait. Il nota qu'on lui avait laissé ceinture et lacets. En revanche, plus de montre. Il constata sans surprise que son passeport ne se trouvait plus dans sa poche latérale. Il vérifia les autres, toutes vides elles aussi. Évidemment… Y compris celle où il avait mis le fameux article. *Dans ma cellule cubaine*. Pas bon, ça, pas bon du tout. Le mal de crâne se fit plus insidieux. Gabriel se gratta la tête. Étant donnée la taille du pansement, il avait dû se faire une jolie bosse… Au passage, il réalisa qu'on lui avait rasé quelques centimètres carrés de cheveux, on avait dû lui poser des points de suture. *Dans ma cellule cubaine...* Vachement comique. Combien de temps le retiendrait-on ici ? Avec ce foutu article dans la poche, il y avait de quoi s'inquiéter... Dieu seul le savait. Troisième fois qu'il mettait Dieu sur le tapis, ça commençait à bien faire...

Ainsi donc, ça continuait. Il avait beau avoir mis un océan entre la France et lui, le cauchemar ne s'arrêterait jamais. Il ne pouvait s'empêcher de penser à ce foutu jour où il avait fouillé dans les papiers de Pedro. Tout était parti de là, en définitive... Il avait attendu un mois avant d'oser. Le Catalan gardait tout, rangeait tout, annotait tout. Les choses inutiles comme les précieux billets. Il ne l'aurait jamais cru aussi méthodique. Lui qui semblait si détaché des contingences matérielles... Gabriel avait relu les lettres qu'enfant il écrivait à tonton Pedro, avec le beau stylo à quatre couleurs que lui avait offert la buraliste de la rue Keller. À chaque ligne, il changeait de couleur. Il les avait longuement serrées contre son cœur, humant leur odeur, comme si les madeleines en papier jauni allaient lui sauter aux narines. Il avait attendu trois jours avant de se décider à jeter tout cela dans le vieux poêle à bois qui trônait dans l'arrière-cuisine. Pedro était mort ici, le facteur l'avait retrouvé, face contre terre, il s'était écroulé avant d'actionner son briquet. Avant de craquer l'allumette, Gabriel avait encore attendu deux bonnes heures, retirant les lettres du Myrhus pour les relire, et puis... Floufff! L'allumette comme un coup d'épée au cœur... Gabriel se torturait les méninges. Le vieux avait-il vu venir la mort?... Il était resté des heures dans le noir à penser à Pedro, à danser avec lui sur l'accordéon magique de Yann Tiersen. Ensuite, il s'était réfugié dans le bureau envahi par la poussière. Depuis qu'il était devenu presque aveugle, Pedro n'y mettait plus les pieds. Il était tombé sur la liasse de passeports avec sa trombine. Une dizaine au moins. Français, espagnols, mexicains, américains – Gabriel s'était toujours demandé comment il faisait pour dégoter les documents vierges. Secret professionnel. Ramon Mercader, Albert Einstein, Luis Mariano, Lino Ventura, Francis Blanche, Antonio Machado, Raymond Poulidor, Alfred Jarry, Ernest Perrochon. Pas perdu la main, le vieux. Qu'est-ce qu'il avait dû se marrer! Il entendait sa voix. *Sers-toi, petit, c'est à toi! Tu es un homme* ubiquito, *fiston!* Gabriel n'avait pas hésité longtemps. Il avait raflé celui établi au nom de Walker G. Bush, en se disant évidemment qu'il ne s'en servirait jamais. Et voilà comment le maudit passeport s'était retrouvé dans sa poche arrière! Les autres, il en avait fait un paquet. Poste restante, Paris Goncourt, avec quelques autres babioles à ne pas mettre entre toutes les mains. Pour ses vieux jours. S'il allait jusque-là. Au train où allaient les choses, rien n'était moins certain.

Dans ma cellule cubaine.

Dans sa cellule, il avait tout le temps de méditer. Depuis combien de temps était-il là ? Une heure ? Sûrement guère plus : la nuit n'était toujours pas tombée. En tout cas, ce qui était certain, c'est que toute cette histoire avait commencé huit jours plus tôt exactement... En se réveillant ce matin-là, il était loin de se douter que quelqu'un, quelque part dans Paris, lui avait concocté cet improbable voyage à Cuba.

Gabriel se souvient, mains jointes comme s'il faisait... sa prière. Ah non, pas ça ! Il désunit ses mains, s'étire, les croise derrière sa nuque, rencontre le pansement et finit par s'affaler sur le lit en croisant les bras.

*

Huit jours plus tôt, donc... Journée de dupes. Succession de petits tracas, façon *After Hours*, ce film de Scorsese méconnu, ce type lunaire qui, en moins de 24 heures, se fade les pires emmerdes de la Terre. D'ailleurs, depuis, le pauvre gars n'avait pas fait carrière, ce film ne lui avait pas porté bonheur et tout le monde avait oublié son nom. Cinq heures du matin. Le téléphone sonne chez Enorah, la petite vendeuse kabyle rencontrée un mois plus tôt au concert de Mickey 3D, et qu'il ne quittait plus depuis qu'il avait rompu avec Cheryl. Et qui aurait pu être sa fille. Gabriel se prenait à rêver d'une vie calme et pépère, le farniente était devenu son credo. Et Enorah, sa déesse. Gabriel était amoureux grave. Le diagnostic de guérison était à l'opposé du caractère de l'impétueuse Enorah : réservé. Au bout du fil, une voix nasillarde demande à parler à Jean-Guy. Dix minutes pour se débarrasser d'un frappé intégral qui veut absolument savoir pourquoi Jean-Guy ne vient plus à la piscine Deligny, est-ce qu'il est malade ? Lui expliquer que ladite piscine a coulé depuis belle lurette ne suffit pas. Il finit par raccrocher. Trois fois le maniaque rappelle. Pour avoir la paix, Gabriel lui annonce que Jean-Guy ne vient plus parce qu'il est mort, cancer fulgurant, débranche le téléphone et se rendort. Réveillé deux heures plus tard par un rêve atroce. Il flâne devant un grand magasin parisien, une jolie femme lui demande l'heure et s'enfuit en hurlant au moment où il s'acquitte de la tâche. La scène se répète à l'envi, des tas de femmes toutes plus séduisantes les unes que les autres s'approchent de lui. Subjugué par leur beauté, il en oublie de regarder sa montre et lance une heure au hasard. Et toutes partent en criant, il ne comprend pas. Jusqu'à ce qu'un clochard s'approche de lui, lui tende un miroir, et qu'il se rende compte qu'il n'a plus une seule dent, sa langue piquetée d'aiguilles, sa bouche un croisement entre cactus et cœur d'artichaut. Il se traîne jusqu'à la salle de bains pour vérifier qu'il a bien toutes ses dents. Horreur absolue. Impossible d'ouvrir la bouche. On lui a cousu les lèvres avec du fil. Buñuel. *Cet obscur objet du désir.* Dieu qu'il a aimé ce film. Il essaie de crier. Rien à faire. Ses joues enflent. Le Poulpe est une grenouille qui va exploser, c'est pas du cinéma. Juste un rêve. Il se réveille pour de bon et fourre son poing entier dans sa bouche, Dieu que c'est bon de se mordre les doigts. Il file à la salle de bains, la vraie. Oui, elles sont bien là, moins nombreuses que ses cheveux blancs cependant. Il est en sueur, l'impression d'avoir pris dix ans en une seule nuit, il a vraiment une sale gueule. Il pense à Pedro, il voudrait qu'il soit là. Petit déjeuner foutraque, café réchauffé, baguette molle digne d'un Salvador Dali, beurre rance, gelée de pomme dégoulinant par les trous de la tartine, il pense à une chanson de Ricet Barrier, ça le fait sourire, mais très vite deux cafards dodus planqués dans la boîte à sucre se lancent à l'assaut de son bras. Cri inhumain, tunnel hitchcockien, manque plus que la musique de Bernard Herrmann. Sous la douche, Gabriel trépigne, les cafards le mettent dans un état ! Il se souvient du jour où tata Marie-Claude a failli en croquer un, au camping de Lacanau. Après ça, elle n'avait rien avalé de toutes les vacances, et tonton Roger qui finissait ses plats avait pris six kilos. Dans la rue à dix heures, il y pense encore. C'est là que se manifeste la troisième avanie de la journée. Il donne un bout de shit à un SDF, le type s'énerve, j'en veux pas de ton cancer, sale petit bobo de mes fesses ! Il crache à ses pieds et lâche son berger teuton sur lui en le traitant de sarkoziste. Gabriel hurle. Au moment de l'assaut, il se rend compte que le molosse porte la muselière. Le clodo mort de rire perd de sa superbe quand il tatane son clebs avant de s'enfuir. Gabriel n'a jamais aimé les chiens policiers, celui-là paie pour tous les autres... Il s'arrête quelques pâtés plus loin, pâté de chien, ça le fait rire, ça fait du bien, il porte sa main sur son cœur, depuis quelque temps il se demande si ça ne va pas flancher là-haut, il y a des signes avant-coureurs, consulter un spécialiste au retour de Cuba, note-t-il dans son agenda cérébral. Sa mémoire est percée mais ça, huit jours après, il s'en souvient encore. Reste à savoir s'il s'en souviendra en rentrant. Si tu rentres, camarade ! De Dieu, cette trouille... Ensuite, il erre sur le boulevard Beaumarchais, la main sur le cœur il regarde les femmes, les vieux, les enfants, tout cela qui l'indiffère, pour une fois. Les passants n'existent pas, la vie défile comme en différé. Il s'offre un en-cas au Léon de Bruxelles de République. Pendant qu'il déguste ses moules à la crème avec une bière blanche, on lui fout la paix. C'est au café que les ennuis reprennent. Coup de fil d'Enorah sur son mobile. Elle a bien réfléchi, elle le quitte. *C'est pas que j't'aime pas, Gab, j't'adore trop fort, wesh ! Tu m'baises comme un Dieu, wesh ! Mais t'es trop vieux, toutes les copines m'ont dit la même chose. Dégage le monument historique ! J't'oublierai jamais, la vérité...* Rupture express, en moins d'une minute, tout est consommé. Il la rappelle et tombe sur sa messagerie. *Hélas, Enorah n'est pas à son Nokia, na, na, na...* Le message d'ordinaire succulent le met hors de lui. Gabriel est à bout, cette journée est maudite, il aurait dû se remettre au plumard avec une bonne BD. Une halte en terrain ami s'impose. Il s'enfonce dans le XIe par Oberkampf et se réfugie au Pied de Porc à la Sainte-Scholasse. Les Scholassiens ne sont pas au mieux de leur forme. Gérard et Maria se sont engueulés, ils boudent. Comment ont-ils pu devenir aussi vite aussi vieux, moches, anodins ? Gabriel se rabat sur le remplaçant de Léon, un chien pas très futé qui s'appelle aussi Léon et lui pisse immédiatement dessus, bousillant sa paire de Converse toutes neuves. Ça fait rire les habitués. Pas Gabriel. La moutarde lui monte au nez, il n'a jamais pu se faire à ce bâtard dyslexique infoutu de faire la différence entre le client de passage et l'ami du patron.

— Mais il est con, ce chien ! Il est con, ton clebs, Gérard... T'aurais jamais dû l'appeler Léon comme Léon. C'est une insulte à sa mémoire, là.

— Si t'es venu pour insulter mon chien, la porte est grande ouverte !

— Ouh-la ! Ça sent l'pâté !

Ça, c'est Albert le ver de terre, ancien égoutier à la ville de Paris, 3 grammes 7 matin, midi et soir. Gabriel a toujours admiré la constance des poivrots, il applaudit. Rires des habitués. Gérard n'est pas d'humeur.

— On peut savoir pourquoi il applaudit le rat d'égout, le Poulpe ?

— Traite-moi pas comme ça, Gérard ! proteste Albert. On respecte même plus les habitués, dans cette maison... Moi, si ça continue, c'est pas compliqué, je change de crémerie.

— Il a raison, Gérard, t'es sur la mauvaise pente.

— Sur la mauvaise pente ! Elle manque pas d'air, celle-là... Non mais, tu t'es vu ? Depuis que Pedro est mort, tu passes les trois quarts de ton temps à nous emmerder... Tu crois qu't'es tout seul ? Tu crois que ça nous a pas secoués, nous ?...

— Bon, eh ben, puisque c'est ça...

Gabriel se lève, fait la bise à Maria qui lui serre fugacement le bras.

— Toi aussi, Maria ?

Elle ouvre la bouche. Gérard la coupe d'un tonitruant « Maria ! »

— Tu devrais lui faire porter le voile, tant que tu y es, Gégé ! Allez, salut les pieds de porc ! Si tu te convertis à l'islam, faudra voir à changer le nom de ton établissement, patron ! Salamalekoum !

— Salamalecouscous ! reprend Albert.

Gabriel passe la porte, il ne remettra plus jamais les pieds ici, c'est décidé. Papouille à Léon, pas rancunier.

— Mon pauvre Léon, mais tu vois pas qu'tu tournes le dos à La Mecque ! Il est vraiment à la masse, ton clébard, Gérard !

Le mot de trop. Gérard se rue sur lui, son torchon à la main, le poursuit de sa vindicte jusque sur le trottoir.

– Tu peux revoir Maria si tu veux, ça me dérange pas. Mais pas ici ! À bon entendeur, porc salut !

Gabriel trépigne et, cette fois, c'est pas à cause d'une blatte à pattes. Le cafard, le vrai de vrai, qui te prend à la gorge. Il pense à Enorah, à Pedro, il a du vrac dans la tête. C'est à ce moment-là que Gérard lève la main sur lui. Gabriel croit qu'il va le frapper, il tend la joue comme un chrétien promis aux lions.

– Vas-y, achève-moi. Mais vas-y donc !

– Non, mais t'es vraiment dev'nu trop con, le Poulpe !

Au lieu d'une châtaigne, c'est une enveloppe qu'il se prend dans les gencives.

– Tiens, j'avais oublié ça. Y a deux types chelous qui sont passés mardi. Genre métèques gominés. Ils ont donné ça pour toi...

Gabriel se retrouve avec l'enveloppe dans la main, et ça lui rappelle des souvenirs. La dernière fois que des inconnus ont déposé quelque chose pour lui au Pied de Porc, il s'est découvert un fils de dix-huit berges [1], qu'est-ce qui va lui tomber dessus, cette fois ? Pas le temps de l'ouvrir. Son

---

[1] Lire *Parkinson le glas*, de Gabriel Lecouvreur (Le Poulpe, n° 234).

portable sonne. La rengaine de l'*Internationale*, ça aussi, il en a marre ; dès demain il change la sonnerie. Il décroche fiévreusement.

— Enorah ?...

— T'es devenu dyslexique, Gabriel ? Éléonore, pas Enorah.

— Éléonore ?

— On a couché ensemble la semaine dernière, tu m'as déjà oubliée ?

— Comment je pourrais t'oublier, ma petite étoile polaire ! Quel bon vent ?

Le pire, c'est qu'il ne ment pas. Malgré son prénom glaciaire, cette fille est un volcan.

Éléonore, prof de philo à Henri-IV, rencontrée dans un bistrot sympa du Marais, elle corrigeait des copies au zinc du Petit Fer-à-Cheval, il relisait le carnet rouge avec les souvenirs d'enfance de Pedro. Ils avaient tout de suite flashé, c'était elle qui avait fait le premier pas. Il s'était laissé guider jusqu'à son studio de la rue des Écouffes. Malgré Enorah. Au début, c'était mal barré, elle l'avait assommé avec Bataille, Cholodenko, les deux Catherine Q. (Q. Breillat et Q. Millet), tous les clichetons littérotiques qui barbaient Gabriel, qui avait toujours préféré la pratique sexuelle à la théorie ; pour finir, elle lui avait lu quelques pages de la série Police des Mœurs où, d'après elle, sévissait un écrivain génial qui, sans en avoir l'air, transcendait le livre de cul de papa, hélas Philippe Sollers n'en avait pas été averti. Puis, elle avait fondu sur son amant, et là, **au feu les** pompiers, Gabriel s'était étonné du mélange détonant de tendresse et de soufre qui émanait d'elle, un vrai missile solaire. Il l'avait quittée au petit matin, ébaubi, fourbu…

— Qu'est-ce que tu fais ce soir, t'es libre ? J'ai deux places pour *Paradis* à la Colline, ça te tente ?

— Vanessa Paradis fait un duo avec Colline Serrault ? Je savais pas.

— T'es vraiment atteint, mon chou… Le théâtre de la Colline. *Paradis*, c'est le nom de la pièce. C'est de Pascal Rambert.

— Connais pas. Une pièce de cul, je présume ?

— Pas du cul, Ducon. Du conceptuel.

— Duc… Ducon… Duconceptuel. On dirait du Dubonnet.

— Qu'il est spirituel ! Allez, viens… Si on s'emmerde, on ira baiser à la maison.

— Si tu me prends par les sentiments…

— Je savais que l'argument te convaincrait. Bon, je vais exploser mon forfait si on se lance dans la sémantique. Rendez-vous devant l'entrée du Père Lachaise à sept heures, on ira manger un morceau avant…

— Je suis pas nécrophage, désolé.

Éléonore est pliée en quatre à l'autre bout de la ligne.

— Le théâtre de la Colline est à côté du cimetière. Tu devrais t'abonner à *Zurban*, petit homme-chou !

— Non mais, t'es complètement malade de m'appeler comme ça, Éléonore ! Petit homme-chou ! Tchao-tchao… Elle est à l'ouest, Éléonore ! ajoute-t-il après avoir raccroché.

Croisant une vieille dame transportant un yorkshire belmondien, il lui crie dans les oreilles :

– Elle est à l'ouest, Éléonore. Elle est pas drôle, celle-là… Hein, le chien ! Dites donc, madame, il serait pas un peu dépressif, votre caniche ? Il a les yeux qui pleurent, faut pas le laisser dans cet état, sinon, c'est vous qui allez l'enterrer ! C'est un monde, ça !

Gabriel pianote un numéro sur son portable :

– Allô, Brigitte Bardot ? Dites-moi, ma biche, j'ai l'impression qu'il y a une recrudescence des maltraitances en ce moment, je suis en présence d'une maîtresse qui m'a tout l'air de laisser mourir son toutou sans soins, vous pourriez m'envoyer un panier à salade dans le XIe ?…

La pauvre femme tourne les talons et s'enfuit en courant, terrorisée. Gabriel a un peu honte, mais qu'est-ce que ça fait du bien de se défouler sur les gens sans défense de temps en temps !

Il récidivera cinq heures plus tard au théâtre de la Colline, où il vivra la soirée la plus consternante de sa vie de bipède cultivé, et peut-être même de bipède tout court. Mais ne brûlons pas les étapes… Dans sa cellule cubaine, il a certes tout son temps pour méditer, mais faut pas bousculer la chronologie. Avant cela, d'autres imprévus le guettent. Lecouvreur s'engouffre dans le métro, une heure durant il dérive au fil des tunnels, enchaînant les correspondances au petit bonheur des chiffres – pair, je change, impair, je continue, un truc qu'il faisait étant môme avec tonton Roger –, et c'est ainsi qu'il se retrouve dans un coin de la capitale où il ne met jamais les pieds. Gabriel arpente les beaux quartiers, il n'a pas l'impression d'être à Paris, au moins il ne risque pas d'être emmerdé par des connaissances importunes. Rue d'Auteuil, il va se recueillir dans l'église, essayant de se souvenir de quelques prières mais les fureurs d'une vie d'anar ont concassé le ban et l'arrière-ban de son enfance, il ne reste plus rien, pourtant il aimerait bien, va savoir pourquoi, depuis quelque temps il a l'impression que c'est le grand raffut des anges là-haut, ça lui colle au palais comme une hostie, il a envie d'aller y voir de plus près. En sortant, dans le plein soleil, il se demande ce qui lui a pris d'entrer dans cette église. Il palpe ses poches, envie de se rouler une petite cigarette. Il n'en a pas le loisir car il tombe sur l'enveloppe et comprend pourquoi Gérard a parlé de « métèques gominés ». À l'intérieur, un billet d'avion Air France au nom de Lecouvreur Gabriel. Aller-retour Paris-La Havane. Départ : 27 février 2004. Retour : 12 mars 2004. Il y a aussi une réservation pour trois nuits à l'hôtel Lido, ainsi que la carte de tourisme indispensable pour entrer sur le territoire cubain. Et un passeport, plus vrai que nature, délivré par la préfecture du Val-de-Marne. Première fois qu'il possède un passeport établi à son vrai nom. Aucune explication, juste trois mots sur un carton vierge, écrits au feutre vert : *Buen viaje, compañero.* Gabriel vérifie la date sur le billet. Le 27 février, c'est dans huit jours. Qui peut bien avoir dépensé mille cinq cents euros pour l'inviter à Cuba ? Pourquoi ce voyage ? Et pourquoi autant de précipitation ? Si le billet et le passeport ne dataient pas de la semaine précédente, il aurait pensé à Pedro... Coup d'œil au ciel, le soleil joue à cache-cache avec les nuages. Qui que tu sois, ô bienfaiteur anonyme, sois béni ! Le type qui lui répond dans la vitrine du magasin se donne des airs de Créateur. Bandana. Futal kaki, baggy trashpekno. Barbe de huit jours. Gueule de baroudeur. C'est lui, Lecouvreur Gabriel. L'homme du XXIᵉ siècle. Prêt pour l'aventure. Sur l'enseigne, c'est écrit chaussures Jonak, il croit lire Jonas et y voit comme un signe. La baleine, le départ, le voyage. La quête initiatique. Si le souffle divin n'est pas derrière tout ça, c'est quelque chose d'approchant. Gérard a raison : depuis qu'il tourne en rond, il ne tourne pas rond. Foutre le camp, et vite. Il embrasse le billet d'avion et range son viatique dans sa poche. Perdu dans ses pensées, il n'a pas vu venir le boulet de canon sortant de la boutique qui le heurte de plein fouet. Une frêle jeune femme, qui marmonne que c'est injuste, qu'il y a des gens malhonnêtes, que ça ne se passera pas comme ça. Et qui s'excuse enfin – il se demande bien pourquoi vu que le trottoir est à tout le monde.

Gabriel lève la tête, croise son regard contrarié. Sourire en demi-lune de la fille. La rage est contagieuse. Lecouvreur Gabriel se sent redevenir Poulpe tout à coup.

— Un problème, mademoiselle ?

La dernière fois qu'il a posé cette question à une inconnue, il a fini aux urgences de l'Hôtel-Dieu, arcade sourcilière éclatée, une tueuse de mâles échappée de Sainte-Anne. Là, c'est différent, elle a un visage lumineux, quelque chose d'incroyablement doux, presque enfantin, et son menton, on a envie de l'attraper pour une partie de barbichette. En moins de trente secondes, elle lui débite la vérité, il est abasourdi.

— C'est incroyable, ça, zut ! J'achète des chaussures, je les mets deux petites heures, il pleut trois gouttes, et hop, j'ai les pieds trempés... Et cette bécasse refuse de me les rembourser, c'est incroyable, ça ! Vous savez ce qu'elle m'a dit ?

— « Adressez-vous au siège ! »

— Mais comment avez-vous deviné ?

— Un jour, ma copine s'est fait rouler dans la farine par une marchande de parapluies. Les baleines de son pépin étaient floquées à l'amiante, elle lui a dit de s'adresser au siège. Alors que c'est au cœur qu'il faut parler ! Ou au ciel. Elle ne l'emportera pas avec elle, la garce. La société française est en pleine décrépitude, mademoiselle, personne n'assume plus rien et quand la mauvaise foi s'y met, alors là, c'est la cata. Vous allez sans doute me trouver horriblement réactionnaire, mais... croyez-vous en Dieu, mademoiselle ?

La question surprend l'apparition.

– Ah, zut, vous me prenez au dépourvu... Je crois que oui. Enfin, je veux dire... Il y a des signes...

– Qui ne trompent pas, s'empresse d'ajouter Gabriel, je ne vous le fais pas dire. Vous avez raison, Dieu existe et Il va vous le prouver. Donnez-moi vos pompes, mademoiselle.

La fille hésite, rigole et finit par lui tendre ses chaussures en souriant d'un air un peu malheureux. Une longue mèche brune lui barre le visage, Gabriel ne saurait dire si c'est à cause de ce petit signe gracile qu'il lui est venu en aide, toujours est-il qu'il empoigne ses souliers et pousse la porte du magasin.

– Mais qu'est-ce que vous faites ?...

Il n'écoute pas, une bourrasque. Elle le regarde faire sa razzia dans les vitrines. Il en ressort trois ou quatre minutes plus tard, un grand sac en plastique à la main, hilare. Dans le sac, une quinzaine de godasses de luxe dépareillées, que du pied droit. La fille rit à gorge déployée. Il se sent pousser des ailes.

– Eh ben, dites donc, elle a pas lu le livre de Jonas, la mère Jonak ! Question tolérance et miséricorde, on ne peut pas dire que la leçon ait porté ses fruits.

– Mais comment avez-vous fait ? Elle n'a même pas bougé.

– Je lui ai dit que j'étais de la police et que si elle portait plainte je lui collais un petit contrôle fiscal au cul. Croyez-moi, ça calme ! Je vais t'en donner du siège, moi...

– Je... Vous êtes incroyable... Et elle vous a cru ?

– Elle est malhonnête mais elle a oublié d'être conne. Tenez...

Gabriel colle dans les mains de la fille une carte tricolore au nom de Gabriel Pichard.

Il griffonne un numéro de portable dans un coin.

– Gardez-la.

– Merci. Vous êtes vraiment de la police, alors ?

– *Nobody's perfect*. Et ne remettez plus jamais les pieds chez cette marchande du Temple qui pue de la tête et pense avec ses pieds.

– Ça ne risque pas. Elle a dit quelque chose pour mes chaussures ?

– Là, je pars à l'étranger... Vous êtes du quartier ?

– Ben, oui, je... travaille à côté.

– Rendez-vous dans trois semaines, même lieu, même heure. Je vous garantis qu'elle vous recevra en grandes pompes, la mère Jonak !

La fille empoche sa carte en riant.

– Ça alors, j'en reviens pas ! Si c'est pas indiscret, vous allez faire quoi, à l'étranger ?

– Voyages officiels. Mais je vous en ai déjà trop dit. À tchao-tchao, beauté !

La jeune femme écarquille les yeux, trop sidérée pour le remercier. Gabriel la laisse à sa joie. Mais il n'en a pas fini avec la bêtise humaine, loin de là. Le voilà de nouveau dans le métro, et cette fois, pas de chichi. Il prend la ligne 10 jusqu'au terminus d'Austerlitz. Incroyable comme il apprécie de se retrouver dans les entrailles de la cité par les temps qui courent. Aujourd'hui, les remugles, il a l'impression que c'est dessus. Il pense à Albert le ver de terre, iniquement répudié par Gérard, il a mal au cœur pour lui. Soudain, quelqu'un frappe à la vitre du wagon.

— Entrez, dit-il machinalement.

Gabriel lève la tête. Personne. Le compartiment est vide, comment est-ce possible ? Le train est à l'arrêt, un train fantôme, peut-être ?

— Comment est-ce…

Il se redresse sur le lit, le lit de sa cellule, mur immaculé, se prend la tête entre les genoux.

— Entrez, répète-t-il, soulagé à l'idée que, dans quelques secondes, il va peut-être enfin savoir ce qui l'attend, à quelle sauce il va être mangé, les épices et tout ça.

Entrez. Entrez dans ma cellule cubaine.

Car Paris, c'est bel et bien fini.

Le revoilà de retour à Cuba, aéroport José Marti.

4

Une femme entre. Blouse blanche. Une infirmière. Peau d'ébène. Très belle. Éléonore le lui avait bien dit, les Cubaines sont jolies, verte de jalousie, ça n'était pas pour lui déplaire, mais la femme qui lui fait face est un pur joyau.

— Vous allez bien, señor Lecouvreur ?

Époustouflé, Gabriel. Il écarquille les yeux pour être bien certain qu'il ne rêve pas.

— *Que ha pasado ?*

— Vous pouvez parler français. Je comprends couramment… Vous avez fait un malaise vagal.

— Vagal ? *Que es eso ?*

Vagal, vagin. Gabriel ne comprend pas. Il pense à Éléonore, à Enorah. Les femmes le perdront, il aurait dû s'en douter. Qui sait s'il en connaîtra d'autres ? Qui sait ce qui peut lui arriver dans ce pays ? Est-ce qu'il… Son trouble n'échappe pas à l'infirmière, elle semble lire en lui à livre ouvert. En fait de livre, il est tellement mal en point qu'on dirait des feuilles éparpillées, volant au vent. Mais est-ce bien réellement une infirmière ? Est-elle réellement cubaine ? Elle parle si bien français, c'est trop louche…

– La chaleur, probablement. Il faut boire, vous savez. Je vous ai apporté une bouteille d'eau. Vous vous êtes blessé en tombant, nous avons fait quelques points de suture, vous avez le crâne solide. Bien, je vois que vous allez mieux… Avalez ces cachets, ajoute-t-elle en lui tendant deux comprimés bleus.

– Qu'est-ce que c'est ?

– Avalez. S'il vous plaît.

Il avale, pas le choix. L'étiquette verte indique sobrement *Aqua mineral con gas*.

– *Muy bien*. Je dois vous laisser, maintenant. Bon voyage à Cuba, monsieur Lecouvreur. J'espère pour vous que nous ne nous reverrons plus. *Y no olvide : bebe. Mucha calor en Cuba.*

– Promis, je boirai, répond Gabriel. *Muchas gracias, señora.*

L'infirmière frappe trois coups à la porte, qui s'ouvre sur un homme en uniforme. Le chauve obèse de la douane.

– *Puede entrar, esta bien.*

Les deux Cubains échangent quelques mots en aparté. L'homme hoche gravement la tête. La femme disparaît. Le flic s'avance vers Gabriel et lui lance gaiement, tout en lui rendant son passeport :

– *Bienvenido a Cuba, señor Bush.*

Pas besoin de l'ouvrir pour savoir duquel il s'agit.

– Mais je ne m'appelle pas…

Le type en uniforme se lisse la moustache, il savoure la situation.

– Vous vous appelez Gabriel Lecouvreur, je sais. C'est du moins ce qui est marqué sur votre second passeport, que nous gardons, celui-là... Il vous sera rendu quand vous quitterez le territoire cubain.

La phrase sonne lugubrement dans sa tête.

Quand vous quitterez le territoire cubain.

Les pieds devant ?

– Mais... comment saurez-vous... ?

– Ne vous inquiétez pas pour cela. Notre pays est tout petit, et nous sommes très bien organisés. Mais avant de vous laisser partir, j'aimerais vous poser une ou deux questions. Dans votre intérêt, je vous demande de collaborer, monsieur Lecouvreur.

– Oui, bien sûr, allez-y.

– Primo. Qu'êtes-vous venu faire à Cuba ?

Il n'y a pas trente-six solutions, autant dire la vérité.

– J'ai été invité.

– Par qui ?

– *No lo se.*

– Vous pourriez le redire en français ?

– Oui. Enfin, non. Je ne sais pas.

– Vous vous moquez de moi ?

– Non. On m'a envoyé un billet d'avion et... Je sais, ça paraît à peine croyable, mais je ne sais pas qui m'a offert ce voyage.

Le policier cesse de sourire pendant un court instant. Les plis de son front se creusent. Il reprend son air débonnaire.

– Votre ligne de défense est assez consternante, monsieur Lecouvreur. Je ne sais pas si vous vous rendez bien compte de la situation. Vous arrivez à Cuba avec deux passeports, l'un au nom de Gabriel Lecouvreur, l'autre au nom de Walker Bush. Après vérification auprès de votre ambassade, il s'avère qu'aucun passeport n'a été délivré à ce nom par la préfecture de Créteil. Ce passeport est un faux. Officiellement, l'homme qui s'est introduit sous le nom de Gabriel Lecouvreur n'existe pas. Vous comprenez ? Quant à celui qui se fait appeler Walker Bush…

– Je crois que je suis tombé dans un putain de piège, murmure Gabriel.

– Un piège ? Vous ne seriez pas un peu paranoïaque ?

Gabriel a envie de crier.

– Gabriel Lecouvreur, c'est mon vrai nom. Je suis né le 22 mars 1960 à Paris. Hôpital Saint-Antoine…

Le policier éclate de rire.

– Je me doute bien que vous n'êtes pas né dans une étable…

Il est interrompu par la sonnerie de son talkie-walkie. Il répond par quelques mots, *si*, *no*, *quizas*, *muy bien*.

– Je dois vous laisser quelques instants, señor. Veuillez m'excuser.

Avant de refermer la porte, le flic se retourne :

– Ah, j'ai oublié de vous dire, señor Lecouvreur : nous avons trouvé dans la poche arrière de votre pantalon un article de journal qui nous cha-grine beaucoup. Nous reparlerons de cela tout à l'heure. Je reviens dans une minute. Excusez-moi encore.

Cinq minutes plus tard, toujours pas de flic. Gabriel attend en finissant la bouteille d'*aqua mineral con gaz* qui finit par être vide, aussi vide que sa tête et, pour tuer le temps, il retourne à Paris.

Rejoindre Éléonore au théâtre de la Colline, son sac de chaussures Jonak à la main.

Histoire d'en finir avec cette putain de jour-née.

5

Donc, la pièce s'appelle *Paradis*. Éléonore est plongée dans le dépliant, c'est écrit « *Paradis* (un temps à déplier) », Gabriel craint le pire, et le pire est au rendez-vous. La scène est immense, presque vide, quelques chaises, à l'avant un télé- viseur renvoie l'image fixe d'un escalier méca- nique, d'un côté ça monte, de l'autre ça descend ; comme c'est profond tout ça, les décors sont nus, comme bientôt les comédiens qui vont émerger un à un du public, tous très jeunes, très maigres, le premier s'avance sur la droite et se dé-sape tranquillement comme s'il était dans sa salle de bains, en débitant des inepties sur l'art, la scène, tralalalalère, ira-t-il jusqu'au bout ? Le suspense est insoutenable. Mais oui ! il y va, même qu'il a les couilles qui pendent, et les autres aussi s'y collent, sauf une fille qui garde sa culotte orange. C'est à pisser de rire, murmure Gabriel, ça fait partie de la mise en scène ou alors elle a ses règles ? Éléonore lui intime l'ordre de se taire en lui pinçant le bras. Cinq minutes plus tard, les douze comédiens déplient des tapis sur la scène, font le poirier, des cabrioles, se juchent sur les chaises, en jetant de temps en temps des mots dans des micros tombant du plafond. Gabriel rumine, incrédule. Mortel, mortadelle, mortifère, somnifère. Il regarde sa voisine qui ne semble pas plus affligée que ça. « Bon, on s'tire ? » Pour toute réponse, elle lui pince sauvagement le bras. Faut se faire une raison.

Sur scène, c'est la grande compète de l'absurde et du non-dit. Gabriel s'emmerde tellement qu'il lit le dépliant, à la lumière des spots charitables qui éclairent la salle. L'auteur clame tout le bien qu'il pense de son génie : *L'enjeu n'est plus littéraire, le plateau n'est plus le lieu métaphorique de l'apparition du texte, au contraire, il est l'installation au sens plastique et chorégraphique de son expulsion.* Gabriel navigue entre colère et pitié. Rendez-nous Beckett ! Rendez-nous Pinter ! Pour lui qui ne va jamais au théâtre, une traduction simultanée ne serait pas du luxe. Qui peut raisonnablement supporter sans rire un tel tissu de prétention ? Sur le plateau, c'est le quart d'heure Zavatta. Les comédiens à poil font de l'acrobatie pour parler dans les micros flottants, l'art dramatique réduit au contorsionnisme. Pathétique. Les mains plongées dans le sac, Gabriel tripote les chaussures Jonak à la manière d'un rosaire. Comment abréger le calvaire de ces pauvres hères ?

— T'as fini de tripoter ces chaussures, tu me déconcentres ! s'énerve Éléonore en lui pinçant le coude ; au lit, c'est autre chose qu'elle lui pince, c'est une monomanie chez elle.

C'est alors que lui vient l'idée. Il pense à un film d'Alain Resnais qu'il avait adoré, le titre il ne s'en souvient pas, il y avait des rats, Depardieu et le biologiste Henri Laborit qui ressuscitait brillamment le mythe de Panurge. C'est ça qui lui a donné l'idée : de tous ces gens silencieux, résignés, combien ont envie de partir mais n'osent pas, et pour quelles raisons stupides, alors qu'on n'a qu'une vie, à la merci d'un petit vaisseau qui peut péter à tout moment, et qu'un petit couscous-merguez vous attend au restaurant du coin ? Il se dit : et si je tentais ma chance, moi aussi, si je faisais l'artiste, pour voir, et le voilà qui tout à coup se lève et jette une chaussure sur la scène. La godasse meurt au pied d'une comédienne exposant sa vulve, à quatre pattes sur une chaise. Alors il scande : « Pompe. Funèbre. Père. Lachaise. » Dans la salle, personne ne moufte. Ça a l'air de marcher, s'autocongratule-t-il, ils me prennent pour un membre de la troupe. Éléonore lui pince violemment le coude mais ça ne fait que le renforcer dans ses convictions. Il lui soupire dans l'oreille : « Ça te plaît, ma biche ? » Éléonore s'incline, boudeuse elle restera jusqu'à la fin. Il a gagné. Dix minutes plus tard, il remet ça. Deuxième soulier. Loin. À la discobole. Royal. Chlac. En plein dans le postérieur d'un jeunot. *Pompe. Funèbre. Coup d'pied au... cul !* Nul n'y voit du feu. Éléonore, muette, plaque ses deux mains devant sa bouche. Les pauvres comédiens, que leur nudité afflige déjà bien assez comme ça, n'osent rien dire. Alors il enchaîne, à un rythme de plus en plus soutenu. Trois, quatre, cinq chaussures atterrissent sur scène. *Pompe. Funèbre. Père. Lachaise… Pompe. Funèbre. Coup de pied au… cul!* Quelques rires fusent çà et là. On se demande si c'est du lard, du cochon ou de l'hallal. La troupe, qui a recommencé à se rhabiller – le cul recouvert du même horrible slip de coton orange – continue à débiter mécaniquement sa pauvre petite prose psittacique. À présent, le mot d'ordre est « prochain ! » gueulé à tour de rôle par chacun des artistes. Gabriel est transporté. Il la tient, sa reconversion ! Il va se lancer dans la performance ! *Pompe. Funèbre. Coup de pied au… cul. Prochain!* Et hop! encore une chaussure, plus que trois dans le sac, et c'est à ce moment-là qu'a lieu l'alchimie. La fille qui parle dans le micro s'avance vers les gradins, projecteurs plein pot sur Gabriel, elle tend une main accusatrice et lance : « Qu'as-tu fait du pied gauche, l'ami ? » Gabriel se lève, porté par la grâce. Piégé. « Je m'incline, beauté divine. » Il descend la travée et s'en va au milieu de la scène chausser de sa dernière chaussure le pied délicat de la très jeune comédienne qu'un metteur en scène sadique a contraint à débiter son texte en levant la patte comme un chien qui se soulage. Puis, contre toute attente, il traverse dignement la salle sur la pointe des pieds et sort en levant les bras au ciel.

À la sortie, les avis sont partagés. D'un côté, les spectateurs affligés par le spectacle le portent en triomphe. De l'autre, les partisans acharnés de l'auteur. On le traite de salaud, de réactionnaire, de fasciste, de nazi montrant du doigt l'art dégénéré. Éléonore et Gabriel finissent par s'extirper de la foule et regagnent la place Gambetta à pied. Éléonore est hors d'elle. Le volcan bout! C'est l'Apocalypse! Le branle-bas de combat! L'hallali!

— Mais t'es complètement malade, mon pauvre Gabriel! Qu'est-ce qui t'a pris de jeter ces chaussures! Pauvre mec! Et d'abord, d'où elles sortent, ces pompes?

— J'ai fait un casse chez Handicap International. T'es contente?

— Ah, ah, très drôle. T'avais prémédité ton truc, espèce de salaud! Et dire que tu m'as fait bander!

— Je ne vois pas le rapport.

— Moi, si. Pourquoi t'as fait ça?

— Parce que c'était sinistre, crétin, prétentieux, tristouille à pleurer et que je déteste qu'on me prenne pour une bille!

Ils s'engueulent, gueulent, gueulent, mais restent malgré tout ensemble, ils vont chez elle en taxi, il lui fait l'amour, lui fait mal l'amour, lui fait mal, pour une fois c'est lui qui pince, et ça le fait jouir de l'entendre crier, mais miss Éléonore, non, sur le papier seulement elle veut bien en baver. Pour finir, elle le met dehors, elle ne veut plus jamais entendre parler de lui. Et lui, il part en oubliant de remettre son slip et ses chaussettes, il prend un tacot pour le gourbi d'Enorah, qui n'est pas là. Sur la table de la cuisine, un carton avec ses fringues, un mot sur une page de carnet. La rupture est consommée, elle ne veut plus jamais entendre parler de lui. Alors il allume la télé, il zappe, zappe, zappe jusqu'à plus soif, en postillonnant : « Mon papa, il est zappeur-pompier à Paris ! »... Et il tombe sur le spectacle le plus affligeant jamais vu à la télé. Un animateur à l'air à peu près aussi intelligent qu'une lunette de vécés fait goûter des assiettes grouillantes d'asticots à deux gonzesses maquillées à la truelle qui gloussent comme si elles venaient de lire Wittgenstein dans le texte, après avoir lui-même fait craquer la substantifique chair, sous le regard atterré d'un troisième invité, un humoriste pour une fois moins crétin que tous ces petits Bigard suffisants qui hantent les plateaux de télé et ne reculent devant aucun sacrifice dans leur tentative inlassable de transporter le cerveau en lieu et place d'un orifice habituellement utilisé pour des activités nettement moins spirituelles, quoique indispensables au fonctionnement du corps humain... Face de Chiotte a finement baptisé son émission *La méthode Cauet*, en hommage vibrant au docteur Émile Coué, et Gabriel s'est juré que si jamais un jour il rencontre ce foutriquet, il lui bottera l'anus jusqu'à ce qu'il ne puisse plus jamais assouvir ses besoins afin de venger la mémoire du pauvre docteur Coué, déjà bien assez salie par toutes les moqueries dont le pauvre homme a été victime de son vivant et qui ont continué bien après sa mort, alors que Placebo, lui, personne n'est jamais allé lui chercher des poux dans la tête.

Après ça, Gabriel va se coucher, il se sent sale, honte d'être humain, désir freudien d'aller vivre chez les singes, de s'enfoncer dans la jungle pour n'en plus ressortir, envie de casser la télé à coups de marteau, puis il s'endort comme une souche…

6

Et voilà. L'eau a coulé sous les ponts. Huit jours ont passé. Gabriel a entamé un véritable marathon livresque. En huit jours, il a lu Zoé Valdès, Ena Maria Lucia, Leonardo Padura, Reinaldo Arenas, Guillermo Rosales, Pedro Juan Guttiérrez. Il a picoré les classiques. Alejo Carpentier. Guillermo Cabrera. José Lezama Lima, le Proust des Caraïbes. Très peu pour lui. Trop dense. Trop baroque pour sa petite tête de Poulpe cartésien. Il a dévoré des essais. *Fin de siècle à La Havane*, de Fogel et Rosenthal. *L'Île du docteur Castro*. Il a lu *Le Nom de mon père*, le témoignage bouleversant d'Iléana de la Guardia sur l'assassinat de son père, le colonel Tony de la Guardia [1], après

---

1 Condamné à mort et exécuté, de même que le général Arnaldo Ochoa et deux autres accusés, à la suite d'un procès stalinien autour d'un trafic de stupéfiants auquel étaient mêlées les plus hautes sphères du régime castriste. Le général Ochoa, héros de la guerre en Angola, venait d'être nommé chef de la prestigieuse armée d'Oriente ; ses opinions pro-Gorbatchev constituaient une menace évidente pour Castro.

une parodie de justice stalinienne mise en scène par Fidel Castro. Il a parcouru deux biographies de Fidel, celle de Tad Szulc, dégotée dans la bibliothèque de Pedro, et une autre [1] plus récente. Il a vu *Guantanamera*, *Fresa y chocolate*, *Lista de espera*, *Soy Cuba*. Des films géniaux, drôles, bouleversants. Trois, quatre heures de sommeil par nuit s'il veut être prêt à temps. Pas question de partir là-bas sans biscuits. Pays de folie, dirigé par un fou, il se demande dans quel merdier il va mettre les pieds. Qui diable a bien pu l'inviter à Cuba? Il cogite, cogite. Tout ça mené à un train d'enfer, Gabriel a la bougeotte, il a oublié qu'il était en train de sombrer dans la déprime, il a oublié que Dieu venait de plus en plus souvent le réveiller en pleine nuit, lui chatouiller la glotte, l'épiglotte et l'épigastre, lui faire avouer ses fautes. Cuba, il voudrait déjà y être, il n'en peut plus d'attendre de quitter la vieille Europe... Un taxi pour Roissy. Il se souvient de ce graffiti tagué sur le mur en face de la station de taxi :

LIBÉREZ BATTISTI
ENFERMEZ DANTEC

Libérez Battisti, enfermez Dantec. Libérez Battisti, enfermez Dantec, libérez... Dans le taxi, il répète ces mots à toute vitesse, jusqu'à ce

---

1 L'auteur de la seconde biographie n'a pas souhaité que son nom apparaisse dans le présent roman, pour des raisons qui lui appartiennent, ce que déplore l'auteur.

qu'ils n'aient plus aucune signification. Combien de fois a-t-il joué à ce petit jeu avec tonton Roger ? *Libérez Battisti, enfermez Dantec. Libérez Danteski, enfermez Battistec.* Il était capable de rire pendant des heures. Durant tout le trajet jusqu'à l'aéroport, il a mâché ces mots. Le chauffeur n'a pas cessé de lui jeter des coups d'œil inquiets dans le rétroviseur, il n'a pas l'air fâché de le déposer, ne lui souhaite pas bon voyage contrairement aux usages, même pas au revoir… Et puis l'avion. L'hôtesse de l'air. Malgré lui, Gabriel continue à marmonner. *Libérez Battisti, enfermez Dantec.* Il a du mal à placer ses grands pieds dans l'habitacle. Le photographe américain assis à ses côtés se penche vers lui, lui glisse à l'oreille :

– Un conseil, monsieur. Je ne sais pas qui est ce Battisti que vous voulez libérer, mais quand vous serez à Cuba, évitez de trop prononcer ce nom, on pourrait confondre avec Batista, et cela pourrait vous attirer des ennuis.

Gabriel hoche la tête. Battisti-Batista. Pas pensé à ça. Il a raison, faut faire attention. L'Américain se plonge dans la lecture d'un magazine. Par la suite, ils n'ont plus jamais évoqué le sujet.

Et voilà… Neuf heures plus tard, il y est. La Habana, Cuba. Il est arrivé, enfin. Dans une cellule de l'aéroport José Marti. *Dans ma cellule cubaine.*

Gabriel répète ces mots.
Libérez Battisti, enfermez Dantec.

Prisonnier. Petit insecte stupide pris au piège de l'araignée. Qui est l'araignée, Gabriel ? Il pense à Vergeat. Jacques Vergeat. Cet enfoirado de flic des RG qui lui a cassé les couilles pendant dix ans. Non, lui, ce serait plutôt le chat et la souris. L'araignée, c'est au-dessus de son intelligence. Vergeat avait la bougeotte, mais pas au point de passer les barrières de l'Hexagone, quand même…

Alors qui ?

Il n'eut pas le temps de pousser plus loin ses investigations. La porte s'ouvrit enfin. Le policier refit son apparition. Il ne savait pas combien de temps on l'avait fait lanterner car il n'avait plus sa montre, mais une heure avait dû passer au moins. La chaleur recommençait à l'incommoder, malgré la climatisation.

— Pardonnez-moi, j'ai été un peu long. Comme je vous disais tout à l'heure, j'aurais quelques questions à vous poser avant de vous laisser partir.

Le ton était à l'ironie. Gabriel sentait venir le coup fourré. Le policier humecta ses lèvres d'un revers de langue.

— *Donde esta su amigo ?*

— Quel *amigo ?*

— *El Estaunido.*

— *Esta que ?*

Gabriel réalisa un peu tard qu'à Cuba, on ne disait pas « américain » mais « étasunien ». Le type montra les dents et jeta une photo sur le lit. Il recommençait à parler espagnol. Pas bon, ça.

— *El Yanki. Este hombre. No le conoces ?*

Gabriel regarda la photo. Trotski. L'Américain. Appareil photo en bandoulière, gros zoom, souriant.

— Vous ne le connaissez pas, vraiment ?

— Si, bien sûr. Cet homme était assis à côté de moi dans l'avion, mais je ne l'avais jamais vu auparavant. À l'atterrissage, il n'était plus là, je ne sais pas où il est passé.

Le policier prit un objet dans la veste de son uniforme. Gabriel reconnut tout de suite l'appareil photo numérique de Trotski.

— Et ça ?

— C'est son appareil photo…

— Que nous avons retrouvé dans votre sac.

— Je… Je l'ai pris sur son siège. Je vous assure que je ne l'avais jamais vu auparavant, répéta Gabriel.

— Vous ne connaissiez pas cet homme, mais vous lui avez pris son appareil photo. Cela s'appelle du vol, monsieur Lecouvreur. (Le type frappa du poing sur la table.) La Révolution n'aime pas beaucoup les voleurs, señor Lecouvreur.

Gabriel hocha la tête.

— Dans votre malheur, vous avez de la chance, poursuivit le flic. Nous avons développé les photos présentes sur la disquette numérique… Pourquoi ne pas nous avoir dit que cet appareil était le vôtre ?

— Le mien ? Mais c'est pas possible…

— Alors comment expliquez-vous qu'on vous voit en photo dans le même café de Paris ?

Le flic lui montra deux photos. La première le montrait au *Pied de Porc* avec Gérard. Sa dernière visite là-bas. Sur la seconde, Trotski trinquait avec Gérard. Sur les deux clichés, Albert le ver de terre était en arrière-plan, hilare.

Le flic riait de toutes ses dents. Gabriel se sentait de plus en plus mal.

— Les deux photos ont été prises à dix minutes d'intervalle, vous voyez. Ah, autre chose… Nous avons aussi trouvé cela dans votre sac. Vous allez certainement m'expliquer de quoi il s'agit.

Le flic montrait la petite boîte noire dans laquelle il rangeait habituellement son tabac. Gabriel se mordilla les lèvres.

— Vous ne saviez pas que la consommation de drogue est strictement interdite à Cuba, señor Lecouvreur ? Vous savez que vous risquez quinze ans de prison ?

Le flic agita la boîte sous son nez. La petite boîte noire dans laquelle il avait transporté quelques cendres de Pedro prélevées dans l'urne, afin de les disperser dans la mer des Caraïbes.

— Ce n'est pas de la drogue. Vous pouvez l'analyser, si vous voulez.

Gabriel expliqua en rafale, il avait perdu son meilleur ami, il était venu à Cuba il y a quarante ans, il s'était dit que…

— La République de Cuba est très honorée de votre démarche, mais vous savez que le transport de dépouilles mortelles est soumis à une réglementation très sévère, à Cuba comme ailleurs.

Cette fois, Gabriel crut qu'il allait défaillir. Le flic enfonça le clou.

– Vous semblez obsédé par les cadavres, señor Lecouvreur. Dites-moi, pourquoi voulez-vous libérer Batista ?

– Je vous demande pardon ?

– Vous vous agitez beaucoup pendant votre sommeil, *compañero*. Vous parlez beaucoup, aussi. Vous n'avez cessé de répéter « Libérez Batista ». Je ne vous ferai pas l'injure de vous rappeler que Batista était un dictateur sanguinaire avant d'être chassé du pouvoir par Fidel.

– Battisti. Pas Batista. J'ai dit « Libérez Battisti ». Vous avez mal entendu…

– Et on peut savoir qui est ce Battisti dont vous réclamez la libération ?

Gabriel se palpa le front.

– Je ne sais pas. J'ai vu son nom sur un mur, à Paris, ce matin. C'était écrit « Libérez Battisti. Enfermez… » Ah, zut, je ne me souviens plus de l'autre nom…

– Ça n'a aucune importance, rigola le flic. Avouez que vous êtes un drôle de type, señor Lecouvreur. Résumons. Vous partez en vacances à Cuba, invité par un mystérieux inconnu dont vous ne connaissez pas le nom, avec un passeport au nom de Walker Bush. Vous volez votre propre appareil photo, vous prétendez ne pas connaître l'ami américain qui a voyagé à vos côtés dans l'avion, vous emmenez les cendres d'un ami espagnol en vacances et, pour finir, vous demandez la libération d'un dictateur mort depuis longtemps. Je ne parle même pas de cet article de journal publié sur un site à la solde de la CIA… Tout cela est un peu schizophrène, vous ne trouvez pas ?…

— Je ne sais pas. Je ne comprends rien à ce qui m'arrive… Je peux avoir un avocat ?

Le flic se mit à rire.

— Un avocat ! Mais vous n'êtes pas en état d'arrestation, *compañero*. Je suis sûr que nous allons trouver une solution. Dans l'immédiat, je vais vous faire apporter un sandwich et une bouteille d'eau. Vous êtes livide, il serait dommage que vous fassiez un second malaise vagal…

Gabriel Lecouvreur pouffa de rire.

— J'ai dit quelque chose de drôle ?

— Non, rien.

Le Cubain regarda sa montre.

— Très bien, je crois que c'est tout. Vous êtes descendu à l'hôtel Lido, je vois. Vous y serez bien, c'est un hôtel convenable.

— Vous voulez dire que… je peux partir ? Euh… *Puedo salir ?*

— Pas de problème, *compañero*.

— Mais, je ne comprends pas, protesta Gabriel. Pourquoi ? Pourquoi tout ce… tout ce…

— Il n'y a rien à comprendre. Vous pouvez quitter l'aéroport et aller où bon vous semble à Cuba, vous ne serez pas inquiété… Nous allons vous rendre vos bagages. En contrepartie de notre mansuétude, nous allons vous demander quelques petits services... si vous n'y voyez pas d'inconvénient, bien entendu.

Nous y voilà, songea Gabriel.

Le type avait débité sa tirade d'une voix onctueuse, prévenante, bien malin qui pouvait dénicher quelque trace d'ironie dans ses propos.

7

Gabriel rejoignit la zone des taxis, posa sa valise et son sac à dos sur le trottoir. Les Cubains avaient tout remis en place dans ses bagages, y compris l'article de *Courrier international* et l'appareil numérique. La pluie s'était arrêtée de tomber. Le sol était tout trempé. Il faisait déjà de nouveau très chaud. Il avait du mal à remettre ses idées en place ; comprenait rien de rien à ce qui venait de lui arriver. Il savait seulement que ce n'était pas une simple farce. L'essentiel était d'en être sorti, même si ce n'était pas sans contrepartie. Et provisoire. Pour le moment, il avait juste une adresse internet – movida26@cubarte.cult.cu –, un mot de passe pour y accéder et un rendez-vous quotidien. Les spécialistes du renseignement ne tarissaient pas d'éloges sur la façon exemplaire dont les services secrets cubains avaient souvent déjoué les coups bas de la CIA, mais là, chapeau bas. Maintenant il comprenait. Les Cubains avaient entendu parler de ses qualités de fouineur et ils avaient décidé de le faire travailler. Pour qui, pour quoi ? Il le saurait bien assez tôt. En tout cas, le piège était magnifiquement monté. Pour l'heure, une seule chose importait. Visiter La Havane. Essayer de prendre un maximum de bon temps. Ne pas trop déprimer. Après tout, il était vivant, ce n'était déjà pas si mal.

Il scruta l'horizon. L'aéroport José Marti n'était pas très grand. Des parkings. Des champs. Des palmiers. Le drapeau cubain flottait en haut d'un mât. Pas de doute, il était bien sous les tropiques, on ne l'avait pas ramené en douce à Paris après l'avoir endormi. Pas un seul taxi. Pas beaucoup de voyageurs non plus. La chaleur était tout à fait supportable.

L'employé de l'aéroport qui l'avait guidé dans le dédale de couloirs de l'aérogare déploya les doigts de sa main droite.

– *Dos minutos, señor*.

– On m'a dit la même chose il y a cinq minutes, faut pas les écouter.

Gabriel se retourna.

Une petite dame d'une cinquantaine d'années entourée de valises et de trois immenses sacs d'un grand magasin populaire de Barbès. Elle portait un pantalon de toile kaki multipoches, un bob, un tee-shirt à l'effigie du Che. Une immense banane lui ceinturait la taille. Sous ses tristes oripeaux de touriste de base, elle était plutôt jolie, malgré des yeux perçants qui avaient l'air de vouloir en découdre avec la Terre entière. Des traits fins, une jolie bouche.

– Faut pas être pressé, dans ce pays ! Vous êtes Français ?

– Non. Guatémaltèque.

– En tout cas, vous parlez drôlement bien le français pour un Guatémétèque, vous n'avez pas du tout l'accent.

Gabriel ignora la femme. Il avait fait sa B.A.

– Dites, si vous voulez, on pourrait prendre le même taxi, y'en a pas des tonnes. Vous êtes à quel hôtel ?

– Lido.

– Moi aussi. Ça alors, quel hasard, on va faire la route ensemble.

– Vous croyez ?

– Moi, c'que j'en dis, c'est pour vous, j'étais là avant vous, alors...

– Je ne voudrais pas vous déranger, fit Gabriel.

– Oh, non, pensez-vous ! Je n'suis pas très portée sur la solitude, vous savez. Vous venez d'où, au Guatemala ?

– La Plaine Saint-Denis.

– Moi, c'est Simone. Simone Dubois, de Charenton, je suis une ancienne de la Poste et j'ai jamais tué personne, c'est des conneries c'qu'on raconte dans les journaux...

Gabriel attendait la suite mais rien ne vint. Il enchaîna :

– Moi, c'est pareil. Tous les types que j'ai tués, c'était de la légitime défense ! Je m'appelle Gabriel, comme l'archange.

Ils rirent tous les deux.

– Si vous saviez ce qui vient de m'arriver ! soupira Gabriel qui avait envie de se soulager.

– Et qu'est-ce qu'un Guatémaltèque vient faire à Cuba, si c'est pas indiscret ?

Ils n'eurent pas le loisir de poursuivre leur dialogue de sourds car une Lada rouge dégageant une épaisse fumée noire venait de se ranger le long de la bordure. Deux minutes plus tard, ils étaient installés à l'arrière, séparés par deux sacs qui n'avaient pas pu rentrer dans le coffre. Treize dollars pour Vieja Habana, avait annoncé l'employé d'aéroport, après avoir empoché en douce un dollar du chauffeur, un homme d'une cinquantaine d'années coiffé d'un béret rouge et pauvrement vêtu.

– Si vous saviez ce qui vient de m'arriver ! répéta Gabriel.

– Vous ne voulez vraiment pas me dire pourquoi vous avez quitté votre pays ? insista Simone. C'est chaud, le Guatemala, en ce moment ?

Gabriel se demanda si elle était réellement dingue ou si elle se fichait de sa poire. Il n'eut guère le loisir de lui répondre.

– Moi, je suis une vraie Française de souche. Remarque, ça m'emmerde plutôt qu'aut'chose, j'aimerais bien avoir des ancêtres métèques mais on choisit pas sa famille. Tiens, tu sais pas c'qui m'arrive, on peut se tutoyer, ça te dérange pas ? Tu sais, à Cuba, il paraît que tout le monde se tutoie, alors… Bon, je pars en vacances à Cuba, je viens d'attraper la retraite, je sais, je fais pas mon âge, j'ai décidé de faire le tour du monde avec mes économies, autant en profiter, tu sais quand tu viens au monde, mais pour crever, tu peux toujours sortir la table à repasser… Donc, je commence mon tour du monde par Cuba, ma copine Marie-Annick qui est au PC me donne des paquets de fringues et des médocs pour des parents à elle qu'habitent à Trinidad dans le sud du pays et moi, comme une conne, je perds l'adresse ! Tu te rends compte ?

— Je, oui. C'est assez contrariant. Mais vous devriez pouvoir les retrouver si vous avez leur nom… Vous ne devinerez jamais ce qui vient de m'arriver à l'aéroport…

— Je suis allée voir un médium juste avant de partir, poursuivit Simone sans l'écouter. Tu sais c'qu'il m'a dit ? Il m'a dit, deux points, ouvrez les guillemets, madame Dubois, vous allez vivre des événements exceptionnels à Cuba. Tu crois que Castro va casser sa pipe ? Il est vieux, non ?… Des événements exceptionnels, je vois que ça, moi ! Ou alors un ouragan ?

— Ou un putsch, ajouta Gabriel.

Simone secoua la main.

— Ouh-la-la, on va pas s'ennuyer ! Sans dec, tu crois qu'il va calancher, le vieux ?

— Je ne crois pas, j'en suis sûr. Il est en très mauvaise santé, à ce qu'il paraît. Personne n'est éternel.

— Tu peux me tutoyer, tu sais… (Elle lui passa la main dans les cheveux.) Tu sais qu't'es mignon, toi ! Et pis, t'as une belle nature… Mais tu devrais aller chez le coiffeur, tu sais. Tu s'rais encore plus mignon si t'allais chez le coupe-tifs, mon chéri. Sans rire !

Simone, riait, riait à se faire péter les maxillaires. Sans écouter un seul de ses mots.

– Pourquoi t'irais pas te faire couper les ch'veux à La Havane ? Faut faire marcher le commerce local ! Pas la boule à zéro, attention, juste un p'tit rafraîchissement… En parlant de rafraîchissement, j'ai la pépie, moi…

Gabriel sentait venir la crise de nerfs.

– Vous ne vous arrêtez jamais, vous.

– J'tiens ça d'ma mère, une vraie pipelette. Je sais pas si c'est à cause de son goitre, mais qu'est-ce qu'elle dégoisait !

Gabriel croisa le regard du chauffeur dans le rétroviseur. Pour la première fois, l'homme semblait se départir de son air taciturne.

– Pourquoi je m'arrêterais, eh ! Elle est pas belle, la vie ? Qu'est-ce qu'on est dépaysé dans c'pays ! T'as vu ça…

Gabriel ignora sa bouleversante remarque et essaya de se concentrer sur le paysage. La chaussée était défoncée. Des dizaines de gens circulaient sur la route, à pied, en voiture, en motocyclette, quelques-uns en carriole à cheval. Les premiers immeubles de la banlieue de La Havane apparurent. Tout cela était gris et triste, la timide réapparition du soleil ne réussissait pas à redorer le blason de toute cette pauvreté. Gabriel, le nez collé à la vitre, avait du mal à se laisser envahir par le bonheur d'être à Cuba. Difficile de chasser l'impression désagréable qu'il n'était pas libre de ses mouvements, que quelqu'un tirait les ficelles de tout cela, que des tas de tuiles allaient lui tomber dessus pendant son périple et qu'il avait oublié d'emporter son parapluie.

— Pourquoi t'as assassiné ce pauvre type à coups de marteau? Tu pouvais pas le tuer au pistolet, comme tout le monde?

Gabriel releva la tête.

— Pardon?

— Rien, je voulais juste voir si t'étais avec nous... Ho! t'écoutes quand on te parle?... T'es pas content d'être à Cuba?

— Si, évidemment, soupira-t-il.

— Eh ben, on dirait pas! On dirait que tu viens d'enterrer ton meilleur copain.

Gabriel sentit comme une boule dans sa gorge.

— Lâche-toi, *compapayo*! Regarde tous ces gens, comme ils sont heureux...

— Vous croyez vraiment qu'ils sont heureux?

— Ben non, ils sont pas heureux, il me prend pour une conne, çui-ci! T'as vu la vie qu'ils mènent! On s'croirait au Moyen Âge... En tout cas, ils font pas la gueule, eux! Non, mais, et puis quoi encore...

Gabriel jeta un œil par la vitre. Tout ce qu'il voyait, c'étaient les fumées noires des pots d'échappement, les grappes de gens agglutinés aux arrêts d'autobus, les autostoppeurs qui arrêtaient les voitures d'un signe de la main, les fringues démodées, usées jusqu'à la corde, les jeunes à trois sur des mobylettes hors d'âge. Sans parler des vieilles voitures américaines qui sillonnaient les rues par dizaines, de plus en plus nombreuses au fur et à mesure qu'on approchait de La Havane. Tandis qu'il contemplait l'ahurissant spectacle de la rue, Simone s'égosillait :

– Ben dis donc, elles sont chouettes leurs bagnoles, je sais pas comment ils font pour trouver les pièces ! T'as vu comment ils font du stop, ils tendent pas le pouce comme chez nous ! Et pis les feux, t'as vu ça, hein, les feux, ils sont de l'autre côté du carrefour, c'est balèze, ça ! Je sais pas comment ils font pour pas avoir d'accident, c'est des vrais as du volant, les Cubains ! T'as vu ça les pots d'échappement, la fumée qu'ils dégagent, ils se font pas chier avec le contrôle antipollution, les Cubains ! Regarde celui-là, en France, on lui aurait déjà collé son pick-up en fourrière. Ah-ben-dis-donc ! Pour être dépaysée…

Elle tendit le cou vers le chauffeur.

– Vous avez pas le contrôle antipollution, hein, monsieur ?

Sourire diplomatique de l'intéressé.

– Vous voulez pas lui foutre la paix, à ce pauvre homme ! s'énerva Gabriel. Vous voyez bien qu'il ne parle pas français… Vous ne vous arrêtez jamais, vous, c'est incroyable, ça…

– Eh, ho, dis donc, on est en république, monsieur le rabat-joie guatémaltèque !

– Je parle le français, cher monsieur, fit remarquer le chauffeur d'une voix douce et posée. Votre mère ne m'embête pas du tout, bien au contraire. Cela change un peu des touristes muets comme des pastèques.

Simone frappa dans ses mains.

— Et même un français châtié d'chez charretier, bravo, monsieur ! Ah ! Tu vois qu'on se ressemble, il a dit que j'étais ta mère ! Mais dites donc, vous avez quoi comme diplôme, vous m'avez l'air drôlement calé !

— J'étais vétérinaire avant d'être chauffeur de taxi, répondit l'homme en souriant.

— Ah oui ? Mais pourquoi vous avez arrêté ? Les animaux vous faisaient des misères ?

Le conducteur lâcha quelques instants le volant et, tout en écartant les mains d'un geste désabusé, il se contenta de souffler :

— *La vida… Cuba… No es facil…*

— Bon, c'est votre vie privée, ça nous regarde pas…

Le chauffeur s'éclaircit la voix.

— Autrefois, au zoo de La Havane, la pancarte disait « Défense de donner de la nourriture aux animaux ». Ensuite, c'est devenu « Défense de manger la nourriture des animaux ». Pendant la période spéciale [1], la pancarte disait « Défense de

---

1 « Période spéciale en temps de paix » : période de rationnement et de privations drastiques, instaurée au début des années 1990 à Cuba, juste après la chute du mur de Berlin et l'éclatement de l'Union soviétique, qui vit le « lâchage » du régime castriste par le grand frère soviétique.

manger les animaux ». C'est à ce moment-là que j'ai été obligé de changer de métier, quand les gens ont commencé à manger leurs chiens...

— Mais je savais pas qu'on mangeait les chiens à Cuba, moi ! s'exclama Simone d'un air dégoûté.

Gabriel avait du mal à se retenir de rire.

— Simone... Non, mais vous êtes complètement décalquée, vous ! Vous ne lisez pas les journaux ou quoi ?

— Laissez, laissez... Elle me fait bien rire.

Simone tira la langue à Gabriel.

— Ah, tu vois ! Bon, alors, reprit-elle, vous avez le contrôle antipollution ou pas ?

— À Cuba, Dieu sait si nous avons beaucoup de contrôles, mais pas celui-là. C'est votre premier voyage à Cuba ?

— Moi, oui, fit Gabriel. Simone ?

— Je suis déjà venue en Martinique avec ma copine Alberte, mais c'est pas pareil. Remarque, y'a presque autant de Noirs ici ! Quand on voit Fidel à la télé, avec tous les bonzes aryens à la tribune, on croirait pas, comme ça...

— Vous n'êtes pas au bout de vos surprises, madame. Vous allez voir, nous sommes sur une autre planète ici...

8

Un quart d'heure plus tard, le taxi les déposa devant l'hôtel Lido. Au moment de tendre son sac à Gabriel, le chauffeur lui glissa une feuille de papier pliée en quatre dans la main.

– Si vous voulez acheter des cigares, venez me voir, j'habite près de la gare, señor. Mais venez sans la *madre*, *por favor*.

– Qu'est-ce qu'il veut ? demanda Simone, aux prises avec une femme aux cheveux verts qui lui proposait de la langouste pour douze dollars. Un pourboire ?

– Oui, c'est ça. Un pourboire…

Au moment de démarrer, le chauffeur se pencha par la vitre :

– *Hasta luego, señor Gabriel !*

Gabriel regarda le taxi s'éloigner en serpentant entre les nombreux nids de poules qui éventraient la rue. Señor Gabriel… Mais comment il sait que je m'appelle… Il courut après le taxi, laissant son sac sur le trottoir.

– *Hep ! Como sabes que me llamo Gabriel ?*

Le conducteur lui fit un petit signe de la main par la vitre ouverte. Un instant, il crut pouvoir le rattraper, tant le véhicule adaptait son allure au relief quasi lunaire de l'artère. Il eut juste le temps de voir le taxi tourner à droite, dans la calle Neptuno.

De retour devant l'hôtel Lido, trois enfants de cinq ans faisaient le pied de grue devant son sac.

— Un dollar, señor. Français ?

Celui qui tendait la main était le plus misérablement habillé des trois. Gabriel fouilla dans la poche intérieure de son blouson.

Le chasseur de l'hôtel s'approcha des gosses et leur intima l'ordre de déguerpir.

— Laissez, laissez, fit Gabriel.

Et il distribua généreusement un billet de un dollar à chacun des enfants.

— *Gracias, gracias ! Gracias…*

— Il est pas bien de leur filer autant de blé, lui ! gloussa Simona qui l'attendait devant l'entrée de l'hôtel.

— Je suis venu ici pour dilapider une fortune personnelle, répondit doctement Gabriel. J'ai le cancer, il me reste trois mois à vivre. Satisfaite, Simone ?

— Tu sais qu't'es un p'tit comique, toi ! Cancer de quoi ? Prostate ? Tu m'as l'air bien jeune pour la prostate, ajouta-t-elle en lui flattant les fesses. Bon, on reparlera de ça plus tard, mon chéri, faut que je demande un truc au type, là… C'est drôlement chaud, ici, dis donc ! Tu t'fais vite des copains.

L'incroyable Simone avait déjà commencé à entreprendre le chasseur.

Gabriel s'étouffait de rire. Estomaqué.

– Vous êtes toujours comme ça ?

– Ils vont pas te louper, à présent, ricana-t-elle. Dans une heure, tout le quartier est au courant… J'te préviens, moi je donne pas à n'importe qui. Trois dollars pour garder une valoche !

– Votre femme a raison, fit le chasseur dans un français impeccable.

– Ma femme ! Mais…

– Allez, viens, mon chéri, enchaîna Simone en le prenant par le bras. On va louper *Questions pour un champion* !

– Mais ce n'est pas ma femme ! se défendit Gabriel.

– Vous savez, ça ne nous dérange absolument pas, monsieur. Nous sommes très libres à Cuba. Le sexe est une activité humaine gratuite et bénéfique. Profitez de la vie, elle est courte…

Gabriel prit son sac et entra dans le hall de l'hôtel, la carte de visite du chauffeur de taxi entre les dents.

*

À Cuba, quels que soient leur taille et leur nombre d'étoiles, tous les hôtels appartiennent à l'État. Aussi, même dans des établissements de classe moyenne tel que l'hôtel Lido, le touriste est accueilli par une ribambelle de personnels dignes des hôtels de luxe européens. Chasseur, portier, hôtesse d'accueil, barman, standardiste, garçon d'étage, on ne mégote pas sur la main-d'œuvre. Sans parler des agences de tourisme d'État et de location de voitures qui ont leurs bureaux dans beaucoup d'établissements. Tout un florilège de petits métiers qui disparaîtraient le jour où Cuba passerait du communisme au capitalisme. Dont personne ne pouvait prétendre connaître la date précise. L'hôtel Lido ne dérogeait pas à la règle. L'écriteau placardé dans le hall annonçait la couleur : *Empresa en perfeccionamiento empresarial... es como anclar el socialismo a la base.* À Cuba, la rhétorique révolutionnaire est partout.

L'hôtesse d'accueil lui tendit un formulaire. Elle était enceinte d'au moins six mois et avait l'air de se porter comme un charme. Gabriel hésitait : Bush ou Lecouvreur ? Elle lui coupa l'herbe sous le pied.

– Nous vous attendions hier soir, señor Lecouvreur.

– Ah, si…

– Vous avez raté votre avion ?

Gabriel hocha la tête, déconfit. Coup d'œil à la pendule électrique accrochée derrière l'hôtesse au sourire épanoui. 20 heures 18. Son avion atterrissait à 18 heures 30, heure cubaine. Pas de panique.

– Euh, je… Quel jour sommes-nous ?

– *Sabado. Veinte ocho de enero.*

Il vérifia son billet, ainsi que le tampon sur son passeport. Le vol était bien arrivé le vendredi 27. Il avait passé près de 24 heures à l'aéroport ! Et probablement dormi aussi longtemps. À présent, il comprenait pourquoi il se sentait aussi vaseux : ceux qui l'avaient fait venir à Cuba avaient mis la dose. Une chose le titillait cependant. Si son séjour était pris en charge par les autorités cubaines comme il le supposait, pourquoi l'avoir fait descendre à l'hôtel Lido, hôtel pour touristes fauchés, et non pas dans un de ces palaces construits à l'époque où la mafia américaine et la dictature de Batista faisaient la loi à Cuba, et dont regorgeait La Havane ?

Pas plus mal dans un sens.

L'hôtesse lui tendait la main, elle attendait. Large sourire. La grossesse lui allait à merveille. Sûr qu'elle allait faire un joli petit Cubain.

— *Su pasaporte, por favor*.

Gabriel ravala sa salive. Le billet et les réservations étaient au nom de Lecouvreur et, lui, il se trimballait avec le passeport de Walker Bush. Les emmerdes commençaient.

— La grossesse vous va à merveille, lança-t-il pour gagner du temps. *Cuanto meses ?*

— *Seis meses*.

— Ah, si… C'est pour le mois d'août, alors ?

— Le moidoux ?

— Euh, *agosto*.

— *No. Julio*.

— *Ah si, julio. Muy bien, julio. Verano*. L'été. Mon fils est né en juillet…

– Avec un peu de chance, il va naître le 26 juillet, son bout d'chou ! Elle va nous faire un petit Fidel, la señora…

Il se retourna. Simone. Venue rafler un prospectus touristique à l'accueil. Tout feu tout flamme. Il l'aurait embrassée.

– Il m'avait pas dit qu'il avait un mouflet, le petit cachottier, ajouta-t-elle en repartant vers le bar.

– *Que mujer !* commenta l'hôtesse en lui rendant son passeport. *Bienvenido à La Habana, señor.*

Elle ne l'avait même pas ouvert.

« Je te revaudrai ça, Simone », murmura Gabriel en s'engouffrant dans l'ascenseur à la suite du garçon d'étage.

*

L'hôtel, récemment refait, était plutôt agréable. La chambre 501 était au cinquième étage et donnait sur la rue. Il se roula une cigarette, qu'il fuma accoudé à la rambarde du balcon. Les toits de la vieille ville s'étendaient à perte de vue, profusion de rouges et d'ocres, avec çà et là des touches de bleu et de blanc. Un troupeau de nuages s'effilochait à droite, derrière le dôme majestueux du Capitole, réplique de celui de Washington. Terrasses recouvertes de bric-à-brac incroyables, de linge étendu entre les forêts d'antennes télé. En bas, des ribambelles d'enfants jouaient. Il n'y avait pas plus de voitures que d'antennes paraboliques sur les toits. Deux hommes noirs, torse nu, puissants, réparaient une vieille voiture américaine jaune. Sur le capot, un imposant lecteur de CD laissait échapper une *salsa* endiablée. Deux adolescentes en short dansaient en ondulant devant les mécanos. Une grosse femme noire, tout habillée de blanc, les regardait en faisant tourner son ombrelle blanche. Et tout ce monde riait, avait l'air de prendre la vie du bon côté. Les gens s'apostrophaient d'un côté à l'autre de la rue. Les Havanais était passés maîtres dans l'art de la dissimulation. Vieja Habana vibrait d'une clameur assourdissante, ponctuée à intervalles réguliers par le chant puissant d'un coq dans le lointain.

La chaleur avait baissé depuis qu'il était arrivé en ville. L'air était devenu presque doux. Gabriel profita de cette nouvelle plénitude pendant une dizaine de minutes. Puis il regagna la chambre et s'étendit sur le lit. Mort de fatigue. Pas normal d'être aussi crevé après avoir dormi aussi longtemps. De deux choses l'une : ou il faisait une petite dépression, ou les flics de l'aéroport l'avaient camé à mort. Il n'eut pas le temps de s'appesantir davantage. Il sombra presque aussitôt dans le sommeil.

Il se réveilla une heure plus tard, frais comme un gardon. Toute la fatigue du voyage avait disparu comme par enchantement. Il prit une douche froide – un carton posé sur la tablette de nuit indiquait que l'eau chaude ne fonctionnait pas. De toute façon, avec la chaleur moite, l'eau froide était une bénédiction. Le temps de vérifier que toutes ses affaires étaient bien dans ses bagages – il ne manquait visiblement rien –, il pointait au bar de l'hôtel. Simone n'y était heureusement plus. Il échangea quelques banalités avec le barman, puis sortit.

9

Quelques minutes plus tard, après avoir fait un tour dans le quartier jusqu'au Capitole, il arrivait sur le paseo José Marti, le Prado, la plus belle avenue de la capitale cubaine, pour certains. Pas moins de huit Cubains l'avaient abordé pendant le court trajet, essentiellement des vendeurs de *cigaros* ou des *jineteros* proposant de dîner dans un *paladar* bon marché. Mais il avait foncé gaillardement, clope au bec, tête baissée. Sa première *jinetera* l'aborda devant l'hôtel Inglaterra. Elle était vêtue d'un jean moulant et d'un caraco, sa beauté était à couper le souffle.

– *Hola, compañero, como te llama ?*

Gabriel fit comme s'il ne l'avait pas remarquée, mais elle le harcela jusqu'à la calle Neptuno, à l'endroit où le Prado est séparé en deux par la magnifique promenade aux bancs de pierre, sous la surveillance des lions en granit postés de chaque côté de l'allée ombragée. Et des policiers, beaucoup plus nombreux que les lions mais plus discrets aussi dans leur uniforme gris. La fille le rattrapa et fit barrage de son corps en lui attrapant fermement le poignet. Il constata alors qu'elle avait à peine dix-huit ans. Elle n'avait pas lésiné sur le parfum.

— *No tiene miedo, amigo. Como te llama*[1] ?

— *Soy novio*, désolé, répondit-il, appliquant à la lettre les conseils des guides qui assuraient que c'était là la plus efficace façon de se débarrasser des *jineteras*, en général elles comprennent et lâchent prise.

Mais ce ne fut pas exactement le cas. La fille roucoulait de plus belle.

— *Y donde esta tu novia, amigo? Como te llama?*

— Euh, à l'hôtel. Euh, Gabriel…

— Gabriel? *Frances? De Paris? Que alegria, eh!* Ta femme te laisser seul en La Habana. *Me llamo Odalia*, précisa-t-elle en lui tendant la main droite, tandis que la gauche s'aventurait sur son torse.

Visiblement, la technique était éprouvée. Gabriel était impressionné. Partagé entre tristesse et agacement, et l'envie de se laisser aller. Bon Dieu qu'elle était belle !

— *Vamos a beber una cerveza, amore…*

— *Mi esposa es un dragon!* rugit Gabriel. Si elle me voit avec une belle fille comme toi, ouh-la-la…

— *Ouh-la-la… Una pequita cerveza. Por favor, guapito*, supplia-t-elle avec un sourire enjôleur, en lui plantant un ongle dans l'avant-bras.

---

1 N'aie pas peur, l'ami. Comment tu t'appelles ?

Il pensa fugacement à Éléonore et ne put réprimer une érection. Ce qui n'échappa pas à la jeune fille.

– *Hey! Yo te plais mucho… Bueno!*

Gabriel se gratta la tête à l'endroit où on l'avait recousu.

– *Una cerveza?* Ah ouais, pas con, ça…

La main de la fille faisait à présent le siège de sa ceinture. Tout en s'activant, elle jetait des coups d'œil inquiets à droite et à gauche. La peur de la police, probablement. La situation devenait critique.

– Tu me trouves belle, *amigo*, *si*, souffla-t-elle en lui prenant la main et en la posant sur ses seins. *Mi tambien!*

– *Escucha me, Odalia…*

Il n'eut pas le temps de terminer sa phrase. Une voix rugit derrière lui :

– Dis donc, tu vas lâcher mon mec, espèce de pouffe! Non, mais c'est quoi, ces manières! Elle est même pas majeure, cette greluche!

Gabriel se retourna. Il ferma aussitôt les yeux, serrant la main de la fille, et murmura :

– Oh, non, pas elle, pitié…

– *Tu novia!* s'exclama Odalia d'un air joyeux. C'est ta femme, Gabriel?

Elle avait du mal à cacher sa surprise.

– Ça va, mon chéri? Elle t'a pas fait mal, au moins?…

– Simone? Quelle surprise! Vous n'êtes pas couchée? Pas trop fatiguée?…

– Simona? *Que bonito!* continuait la *jinetera*, pas gênée pour un peso. *Tu esposo muy guapo…*

Gabriel était pris entre deux feux. Remercier Simone qui lui tirait une épine du pied pour la seconde fois en moins de deux heures. L'envoyer balader. Car après tout, la petite Odalia ne le laissait ni de marbre ni de bois.

– Vous avez vu *Buena vista social club*? demanda-t-elle. Venez, je vous emmène dans maison où il a été tourné, *es cerca*.

– T'y vas si tu veux mais moi j'y mets pas les pieds, prévint Simone. Je suis sûre que c'est un traquenard… Elle doit toucher sa com'!

– Et alors? Une bonne action, ça te défriserait, ma chérie?

Simone lui donna un coup de coude et lui souffla à l'oreille :

– Dis donc, tu t'emmerdes pas! Je suis sûre qu'elle a l'âge de ton fils…

D'une voix ingénue, Odalia demanda :

– Vous êtes *cambistas*? Vous faire l'amour à trois?

Simone et Gabriel éclatèrent de rire.

– Bon, c'est d'accord, on passe la soirée ensemble, conclut Simone. Je sens qu'on va bien se marrer! Et elle fait quoi dans la vie, la ginette, à part semer la zizanie dans les couples?

– Elle est vraiment pas possible, cette Simone! Tu peux pas lui foutre la paix cinq minutes? Elle est sympa, non? On pourrait lui filer un petit coup de pouce…

— Je crois qu'elle préférerait plutôt un coup d'pine! tonitrua Simone.

Gabriel était consterné. Il avait été à bonne école avec Cheryl, mais là…

— *Vamos a casa?* demanda Odalia.

— *Vamos a beber*, rectifia Gabriel. Tiens, ici, ça m'a l'air pas mal. Y'a pas qu'le sexe dans la vie… Pas vrai, Simona?

— T'as raison, coco, y'a aussi la fesse! Faut de tout pour faire un monde, non?

C'est ainsi qu'ils s'installèrent dans un café-restaurant-grill en plein air, à deux pas du Malecon. *Las Terrazas del Prado*. On pouvait y boire des *mojitos* pour un dollar et déguster des *biftecs de cerdo con papas fritas* tout à fait honorables, pour un peu plus de trois dollars. Une fortune pour un Cubain. Une misère pour un touriste européen. Il y avait aussi un bazar en dollars où l'on pouvait acheter tee-shirts, bières en boîte, cassettes, CD, cigarettes, ainsi que divers produits introuvables dans les magasins en pesos réservés aux Cubains désargentés. Il ne se passait pas de quart d'heure sans qu'une *jinetera* jette un œil dans l'enceinte, repartant après avoir constaté que les touristes européens étaient soit accompagnés, soit déjà en main, comme c'était le cas de Gabriel. L'endroit était également très prisé par les *jineteros* de tout poil.

10

Gabriel déambulait sur le Malecon, encadré par ses deux nouvelles copines, Odalia sur le flanc droit, Simona sur sa gauche. La belle *jinetera* le tenait par le bras. Il lui sembla un instant que son attention allait bien au-delà des dollars qu'elle espérait engranger, mais il se dit qu'il se plantait. Forcément. Sans ses dollars, elle ne serait de toute évidence pas avec lui, mais avec un garçon de son âge, comme dans n'importe quel pays *normal*. Odalia était une comédienne. Une bonne comédienne. Éviter de trop y penser. Il se sentait bien avec elle, pas envie de la quitter maintenant.

La température était douce, de nombreux Cubains profitaient de la fraîcheur sur le parapet de la plus célèbre artère de La Havane. Les amoureux se bécotaient. Des enfants jouaient. On se promenait en famille. Pas beaucoup de touristes, étant donnée la saison. Suffisamment cependant pour que des groupes de musiciens arpentent le Malecon, prêts à pousser la chansonnette pour quelques précieux dollars. Un guitariste s'arrêta devant le trio. C'était un mulâtre d'une cinquantaine d'années, il était accompagné de trois autres musiciens blancs beaucoup plus jeunes que lui.

— *Te gusta la musica, Gabriel ? Eres bien Gabriel, si ?*

L'interpellé serra les poings et se tourna vers Odalia.

— Mais qu'est-ce qu'ils ont tous à m'appeler Gabriel ! Qu'est-ce que j'ai fait ? Vous allez me le dire, à la fin ?

— Ben quoi, tu t'appelles pas Gabriel ? s'exclama Simone.

— Mais c'est pas écrit sur mon front, bordel !

— Ne t'énerve pas, Gabriel. *Es simpatico, no ?*

Gabriel prit Odalia à témoin.

— Qu'est-ce que j'ai fait ? *Que he hecho ? Diga !*

La jeune fille haussa les épaules d'un air désolé et jura qu'elle ne savait pas. Elle ignorait pourquoi tous ces gens l'appelaient par son prénom. Pourquoi cette femme aux allures bourgeoises lui baisait la main, murmurant : *Dios es con usted, señor Gabriel*. Pourquoi cette vieille femme sans âge lui souriait aussi intensément ? De temps à autre, c'était un homme qui le saluait avec déférence, chapeau bas jusqu'aux genoux, barbe fleurie. Ou lui tapotait l'épaule, avec un sourire débordant de bienveillance. Contrairement aux *jineteros*, aucune de ces personnes ne lui faisait l'aumône. Ils le saluaient, c'était tout. Comme un roi. Gabriel ne comprenait pas l'objet de cette dévotion. Odalia lui jura qu'elle n'en savait rien non plus. Elle demanda des explications à plusieurs personnes mais, à chaque fois, on se détournait d'elle avec un regard mauvais qui sonnait comme un crachat à la face de la *puta* qu'elle était.

Les musiciens jouèrent quelques morceaux de *son*, des airs de Compay Segundo, une ballade de Celia Cruz, tous deux morts à une semaine d'intervalle, une petite année plus tôt. Un vieil homme invita Simona à danser la *salsa*, il devait bien avoir quatre-vingts ans mais se déhanchait comme un jeune homme. La petite retraitée française était aux anges et se débrouillait très bien aussi. Gabriel et Odalia la laissèrent avec son prétendant et finirent la soirée ensemble. La jeune fille l'emmena dans une fête « branchée », calle Escobar, à quelques pâtés de maisons de là. La fête avait lieu dans un grand appartement délabré, qui avait dû être charmant autrefois, à l'époque coloniale. Les murs étaient diaphanes. Ici, le saturnisme ne risquait pas de ronger les cellules du corps, pour la bonne raison qu'il n'y avait plus de peinture depuis longtemps. Vingt Cubains de tous âges dansaient autour d'un lecteur de CD en buvant du rhum dans des petits verres rétro. Noirs, mulâtres, blancs cassés. Personne, pour une fois, ne l'appela par son prénom. Il est vrai qu'ils étaient fort occupés et que personne ne s'occupait d'eux. Gabriel savourait l'anonymat. Il aurait aimé leur parler aussi, savoir qui étaient ces gens, connaître la somme de leurs douleurs enfouies, invisibles dans leur fragile écrin de liberté. Mais ce n'était pas le moment. Une heure durant, il embrassa Odalia. Roulage de pelles frénétique. Il se sentait bien avec elle. Follement vivant, comme adolescent. Odalia éradiquait la mort, une tueuse vorace, elle portait la vie, la donnait, la partageait, sa langue dansait autour de la sienne. Ses mains tricotaient des arabesques autour de son pénis. Et puis, elle lui raconta son histoire. Odalia odalisque, Odalia *puta*. Elle était née à Banes, en Oriente, la ville même où étaient nés Fidel Castro et l'ancien dictateur Fulgencio Batista. Odalia connaissait l'histoire de son île sur le bout des doigts. Ils s'étaient installés sur le balcon, Gabriel l'écouta religieusement, on leur fichait une paix royale.

Elle était arrivée à La Havane deux ans plus tôt, poussée par la misère, et s'était prostituée, comme des milliers de jeunes filles de son âge poussées dans ces retranchements par l'absurdité et la folie d'un régime totalitaire. Elle ne cessait de répéter la rengaine la plus en vogue à Cuba : «*No es facil, no es facil.*» Elle rentrait deux fois par an dans sa famille, profitant des périodes «creuses» où les touristes boudaient Cuba. Et ramenait suffisamment de dollars pour subvenir aux besoins de sa famille. Elle avait trois frères, l'aîné, plus âgé qu'elle, s'était exilé au Mexique. Les petits étaient restés à la maison avec leur mère malade, son père était parti quand elle avait six ans. À aucun moment, elle ne demanda d'argent à Gabriel. Pas même lorsqu'elle se déshabilla devant lui, beaucoup plus tard dans la nuit, dans la petite chambre aux étagères envahies par les objets de culte de la Santeria [1], étranges et fascinants. Sa tante, chez qui elle vivait, était une adepte et lui avait transmis le virus. Mais elle n'avait pas tellement envie de parler de ça, elle avait envie de baiser, un point c'est tout. Gabriel hocha la tête, elle lui plaisait beaucoup, il adorait ses seins et son cul, elle le faisait bander, mais il n'y avait pas le feu, il n'était pas venu à Cuba pour ça, il aimait bien l'entendre parler. Odalia éclata de rire en se jetant dans ses bras, *no eres como los autros, guapito! Los otros follan, y adios!* Ce qu'elle voulait, tout simplement, c'était aller en France. Elle ne voulait pas de ses dollars, enfin, si, s'il voulait bien, s'il en avait. Mais pas maintenant. Elle voulait juste qu'il l'aide à organiser son voyage. Gabriel lui dit qu'il ferait son possible. Il se voyait mal lui expliquer qu'il était retenu à Cuba avec un passeport au nom de Walker Bush, prisonnier des autorités cubaines qui comptaient se servir de lui pour une

---

1 Religion très répandue à Cuba, alliant pratiques vaudous et cultes envers les saints (orishas). Elle a été introduite aux Caraïbes par les esclaves yorubas originaires du Nigeria. Le pouvoir castriste la tolère.

opération mystérieuse dont il ignorait tout… Elle ne l'aurait jamais cru. Ou l'aurait peut-être mis à la porte avec perte et fracas, de peur d'alerter le CDR local. Lui-même avait déjà bien assez de mal à croire à ce qui lui arrivait…

Il passèrent la nuit ensemble, sur un matelas défoncé aussi vieux que la révolution castriste. Elle était gourmande et poussait des cris puissants, un peu comme Éléonore, alternant avec des douceurs au creux de l'oreille, un peu comme Enorah.

11

Gabriel se réveilla à midi. Il avait dormi six heures.

Il trouva un mot d'Odalia sur la table de chevet. *Gabriel. Mi tia Cecilia te invite a cenar por la tarde (o mañana si tu no puedes hoy). No olvida me, mi amor. Odalia* [1]. Il plia le billet et le rangea délicatement dans son portefeuille, puis il sortit de l'appartement sur la pointe des pieds, après s'être passé le visage sous l'eau du robinet de la cuisine. La porte donnait sur une coursive qui longeait une cour intérieure. Les fameux *solares*, ces immeubles coloniaux de la vieille ville, pris d'assaut par les provinciaux venus chercher un peu de vie meilleure à La Havane. Au fil des années, à coups de mezzanine et de système D, la population de chaque *solares* doublait, voire triplait, les immeubles croulaient sous le poids, d'où le nombre incalculable d'immeubles de Vieja Habana effondrés, en ruines.

_____

1 Gabriel. Ma tante Teresa t'invite à dîner ce soir (ou demain, si tu ne peux pas aujourd'hui). Ne m'oublie pas, mon amour. Odalia.

Dans la coursive, un perroquet montait la garde dans sa cage. Au passage de Gabriel, il se mit à crier : « ODALIA PUTA ! » À Cuba, même les animaux font office de délateurs… Gabriel lança au psittacidé un vibrant « Libérez Battisti ! » qui lui cloua le bec, puis s'engagea dans l'escalier en sifflotant, s'effaçant pour laisser passer un homme qui remontait en transportant deux cageots de bière.

— *Soy un amigo de Odalia, soy frances*, expliqua-t-il.

L'homme lui lança dans un espagnol fulgurant qu'il savait, qu'elle était partie faire des courses pour ce soir et qu'il ne fallait pas faire attention à ce que disait ce *borracho* de perroquet.

— *Hasta luego, Gabriel ! Tengo mucho trabajo*, désolé, ajouta-t-il en s'engouffrant dans la porte du fond avec son chargement. *Me llamo Yudel !*

Gabriel dévala l'escalier de pierre. Arrivé au rez-de-chaussée, il remonta pour lui demander son numéro de téléphone mais l'homme avait disparu. Une femme en robe de chambre à fleurs lui lança d'une fenêtre qu'ils n'avaient pas le téléphone, mais qu'il pouvait appeler chez elle, elle transmettrait le message, elle ne bougeait pas de la journée, pas de danger, elle attendait quelqu'un et, de toute façon, la vie au dehors, pour ce que ça valait le coup… En moins d'une minute, Gabriel en savait suffisamment long sur la vie de la voisine pour écrire sa biographie. Il nota le numéro de téléphone et la remercia. Comme disait Odalia, l'intimité n'était pas la panacée dans les *solares*. En revanche, question solidarité, difficile de faire plus efficace.

Il retrouva la rue. L'odeur nauséabonde des poubelles de la calle San Miguel le prit à la gorge. Gabriel ne put s'empêcher de se boucher le nez. Il croisa le regard d'un homme d'une vingtaine d'années en train de fouiller dans les immondices. Fuir, il avait envie de fuir. Il avait un peu honte d'avoir surpris son geste. Il détourna le regard et ça n'alla pas mieux dans sa petite tête bien faite de Français bien nourri. Le jeune mec ne le quittait pas des yeux à présent. Gabriel mit la main à sa poche, s'avança vers lui, tendit la main.

– *Poco dinero*. Tenez…

Le type prit l'argent qu'il lui tendait, cinq ou six dollars. Il regardait les billets d'un air hébété, les remisa dans la poche arrière de son pantalon et abandonna ses fouilles. Gabriel crut qu'il allait défaillir. Il tourna les talons, incapable de soutenir son regard. Il erra au hasard des rues défoncées. La plupart des immeubles étaient insalubres, probable que Fidel ne devait pas souvent passer par là. Ses pas le menèrent dans un grand magasin en pesos de l'avenida Italia. L'escalator en panne, qui ne desservait plus les étages, déserts de toute façon. Les vendeurs semblaient presque aussi nombreux que les produits en vente, exposés dans des vitrines aux trois quarts vides. Un pêle-mêle de jupes, chaussures, boîtes de conserves, charcuterie, vaisselle. Des cafetières, un malheureux tournevis cruciforme, des produits d'entretien, trois pneus de bagnole, un entonnoir. Les sous-vêtements féminins côtoyaient les coudes de tuyauterie. Un ours en peluche faisait de l'œil à une cocotte en fonte. Gabriel ferma les yeux. Tata Marie-Claude et tonton Roger. La quincaillerie du boulevard Richard-Lenoir. L'odeur était la même. Exactement. Tout était figé. L'espace d'un instant, il se demanda s'il était bien à Cuba. Si tout ça n'était pas un rêve. Cuba ? Mais t'es pas à Cuba, mec ! Il sortit du magasin alangui, les nerfs en pelote. La plaie à la nuque le grattait. Et si t'étais pas à Cuba, coco ? Arracher le pansement. Retour en France, comme par miracle. Il chercha des yeux un passant lambda pour étrenner sa dernière lubie. Il ne mit pas longtemps à le trouver. L'homme était âgé, portait un manteau tout élimé, alors qu'il faisait trente degrés, marchait à petits pas. Gabriel s'approcha de lui, demanda en français :

— Vous me reconnaissez, monsieur ?

L'homme plissa les yeux, remonta ses lunettes cassées sur son nez, se pinça les narines, le dévisageant posément.

— Ah, non, je ne crois pas, je ne vous ai jamais vu. Vous êtes du quartier ? Je devrais vous connaître ?

L'homme parlait remarquablement le français. Sans un poil d'accent. Gabriel exultait. T'es pas à Cuba, coco ! C'est pour ça qu'ils te reconnaissent

tous! T'es pas à Cuba, t'entends!… Pas à Cuba?
Et Odalia, alors? T'as baisé une fille de rêve mais
c'était *pas* un rêve! Et tous les autres, alors? Les
autres?… Ben, mon vieux, tu fais des bonds
incessants dans l'espace-temps, ça doit être ça, le
truc…

Le vieil homme était toujours planté devant
lui, il se caressait le bout du menton, hiératique.

– Pourquoi cette question? Je devrais vous
connaître?

Un peu gêné aux entournures, Gabriel.
L'homme n'avait sûrement pas grand-chose à
faire de ses journées, mais tout de même!

Il s'empressa de lui répondre:

– Non, pas du tout. Je suis arrivé hier à
La Havane. Je peux vous parler quelques instants? Je ne vous dérange pas?

– Toute la journée si vous voulez, je ne suis
pas pressé. Vous m'intriguez, jeune homme.
Vous venez de Paris?

– Oui.

Et Gabriel lui expliqua. Depuis qu'il est arrivé
à La Havane, des tas de personnes se sont adres-
sées à lui en l'appelant par son prénom, au moins
une trentaine, il ne comprend pas, il ne comprend
rien, ça commence à l'énerver. Vous n'avez pas
une petite idée de ce qui a pu se passer?

L'homme réfléchit quelques secondes, sans
cesser de se tripoter le menton.

– Vous n'êtes pas passé à la télévision?

– Mais non! Je viens juste d'arriver…

– *Tranquillo, tranquillo*. Alors je ne vois pas. Vous ressemblez bien à quelqu'un, mais…

– Ah oui… À qui? Un Cubain? Dites-moi, s'il vous plaît…

Le vieil homme hoche pensivement la tête, hausse les épaules d'un air fataliste.

– Cubain, oui, si on peut dire. De toute façon…

– Oui?

– *No, no es possible…*

– Quoi? *Que no es possible?*

– *Que vida!… Que vida es…*

Gabriel n'insiste pas, il ne lui dira rien de plus. Ils font quelques pas côte à côte. Gabriel adapte son pas à celui du vieillard, respecte son silence. Ils marchent en direction de la mer, du Malecon. Qu'est-ce qu'il aurait aimé venir ici avec Pedro! Tout à coup, le vieil homme s'arrête, calle San Lazaro, il lui montre un immeuble imposant de huit étages qui écrase tous les autres, entre Campanario et Perseverancia.

– Vous vous intéressez à la littérature cubaine, monsieur?

Gabriel acquiesce. L'homme reprend dans un français châtié:

– Vous voyez cet immeuble? Celui qui est tout noir… Eh bien, figurez-vous qu'ici vit un grand écrivain cubain. Le plus grand écrivain cubain vivant, peut-être… Enfin, vivant, le mot est toujours sujet à caution, ici… Certains disent qu'il s'agit du Henry Miller cubain, d'autres le Bukowski. Dans les deux cas, le compliment n'est pas mince… Mais ici, personne ne le sait. Personne ne sait rien dans ce pays. Et quand on sait, on n'ose pas le dire, de peur que ça se sache, vous voyez, *no es facil*… Pedro Juan Gutiérrez a écrit *Trilogia sucia à La Habana*, vous devriez le lire, Gabriel…

Gabriel aurait aimé lui dire qu'il avait lu ce roman avant de partir, qu'il en avait apprécié le côté charnel et baroque, l'histoire de ce gosse qui croit que les fleuves charrient de la merde, rivières de sperme et de soufre, on n'a pas tellement l'occasion de lire ça en France ces derniers temps, que des petits Houellebecq morbides à se mettre sous la dent, des petites marchandes de sexe qui font mouiller les bourges, mais ce qu'il venait d'entendre l'en empêcha.

– Quoi ! Mais… comment savez-vous que je m'appelle Gabriel ?

– *Como ? Que ?*

Gabriel sait que le vieux a compris. Mais il répète en espagnol :

– *Como sabes que me llamo Gabriel ?*

– *No lo se, no lo se.*

– Tout à l'heure, vous m'avez dit que vous ne connaissiez pas mon nom… Et maintenant, vous m'appelez par mon prénom… Comment ?…

Gabriel a soudain peur. Il s'approche du vieillard, l'attrape par le col, il le secoue. L'homme est si léger qu'il pourrait s'effriter au moindre coup de vent. Son paletot râpé jusqu'à la corde, quelle misère.

– Comment savez-vous que je m'appelle Gabriel ?

L'homme semble effrayé. Leurs yeux sont tout proches. Il sent son haleine chargée de *ron*. Il est essoufflé. Il lui semble que… lui aussi a peur. Oui, c'est ça : il a peur lui aussi. Il est mort de trouille ! Mon Dieu…

– *Como sabe usted ? Por favor !*

– *No ! Ya no se ! No te llamas Gabriel, no es possible ! No eres el Gabriel…*

– *El Gabriel !* Mais quel Gabriel ? *Señor… Por favor…*

Gabriel Lecouvreur relâche sa proie. Il n'en saura pas plus. En remettant les pieds au sol, le vieil homme lâche dans un murmure :

– *No, no… No tengo el derecho. La muerte… Pais de mierda* [1] !

Puis il tourne dans la rue Manrique vers le Malecon, comme s'il avait le diable aux fesses. Gabriel ne cherche pas à le rattraper.

Il répète ces mots.

La muerte.

Mon Dieu !

Gabriel s'énerve tout seul. Il se donnerait des baffes. Faudrait peut-être qu'il cesse d'invoquer Dieu à tout bout de champ, ça ne peut pas durer. S'il continue comme ça, il va finir par réveiller

---

1 Non, non… Je n'ai pas le droit. La mort… Pays de merde !

Pedro dans sa tombe. Et il ne sera pas content, Pedro… *As-tu pensé à ce que je t'avais demandé, hijo ? As-tu pensé à…* Mon Dieu… Il palpe ses poches, oui, elle est bien là, elle y est toujours, la petite boîte est toujours là, si légère qu'il pourrait l'oublier, elle fait corps avec lui… Pourquoi ce vieillard m'a-t-il menti ? Gabriel lève les yeux au ciel. L'immeuble de huit étages se détache dans le ciel bleu, presque effrayant dans son manteau de suie. Rien à voir avec les autres immeubles coloniaux de Vieja Habana, celui-ci n'a jamais vu la couleur, on dirait qu'il ne fait pas partie du paysage, qu'il a été planté là dans la nuit… Il se souvient de cette nouvelle qu'il a lue avant de partir. Une nuit, Cuba largue les amarres, l'île qui dérive au large, et Castro qui se retrouve gros-jean comme devant… Qui a écrit ça, déjà ? Zoé Valdès ? Possible. Il ne sait plus. Qui est cet homme ? Pourquoi m'a-t-il parlé de cet écrivain ? Et si c'était lui l'écrivain ? Si cet immeuble était une fusée, une fusée prête à décoller pour le futur ? Quitter ce pays sans futur où la vie crève. Peut-être devrais-je aller le voir ? Peut-être qu'il te reconnaîtra, lui… Gabriel se gratte la tête à l'endroit où… Le pansement a disparu. Il faut qu'il fasse quelque chose. S'occuper l'esprit. Il y a urgence. Sinon, il va devenir fou. Oui, c'est ça, il va devenir fou. Il remonte la calle San Lazaro jusqu'au bout, jusqu'à la patte d'oie avec le Malecon. Plus loin, de l'autre côté du chenal, *el castillo de los Tres Reyes del Morro*. Plus loin encore,

Miami... À l'angle de Carcel et du Paseo, un attroupement de policiers en uniforme gris, sept au total, il y en a partout, jamais encore il n'a vu autant de flics qu'à Cuba. Flics-caméléons en abîme, rasant les murs. Gabriel passe devant eux sans s'arrêter, il a envie de se retourner, pour voir ce qu'ils font, est-ce qu'ils le regardent passer comme un passant ordinaire, ou bien?... Il les imagine en train de chuchoter... *Vous avez vu, c'est Gabriel. Il n'a pas l'air dans son assiette...* Gabriel se retourne, les flics sont en train de se marrer comme des baleines, c'est sûr, tout ça c'est pour lui! Il accélère le pas. Il fonce, fonce. Il ne s'arrête pas devant Las Terrazas del Prado. Le garçon lui fait un petit signe de la main – pas étonnant avec tous les dollars qu'il a laissés la veille –, mais il ne s'arrête pas, ah non! Quinze minutes plus tard, il est devant le Capitole. La dizaine de *jineteros* qui l'ont abordé n'ont pas entendu le son de sa voix. Pas le derrière d'une *jinetera*, il est peut-être trop tôt pour elles. Au dernier moment, il décide d'éviter le Capitole et traverse la place centrale envahie par un bric-à-brac insensé de véhicules, les coco-taxis sponso-risés par le rhum Habana Club, les pousse-pousse, les taxis 15-15, les taxis-Havanauto, tout le monde le hèle, tout le monde le veut! *Dollares, dollares.* Quel pays! Quel... Gabriel a du mal à trouver les mots mais quelle importance après tout, tout le monde se fout de lui, de ce qu'il pense. À Cuba, plus personne ne croit à rien. Croire ici est impossible et ne sert à rien. Ceux qui voulaient croire sont morts, enterrés, suicidés, disparus, emprisonnés, vilipendés, déshonorés, exilés, ou vont le devenir, vont devenir une de ces choses-là, pas besoin d'être grand clerc pour deviner que ce pays n'est pas prêt de sortir de la merde dans laquelle quarante-cinq années de dictature l'ont plongé. À moins que Fidel ne casse sa pipe, ou son cigare, mais Fidel a cessé depuis longtemps de fumer le cigare, ce type est immortel. C'est pour ça que Pedro Juan Gutiérrez a construit ce putain d'immeuble-fusée ! Fini, les radeaux ! Fini, les *balseros* ! Il s'en fout, Gabriel, il n'aurait jamais dû venir ici, jamais dû accepter cette invitation aberrante, il se gratte encore la tête à l'endroit où... Le pansement lui manque un peu, qu'ont-ils bien pu lui injecter dans le crâne ? Parce que maintenant, il en est sûr : on ne l'a pas retenu 24 heures à l'aéroport pour étudier la couleur de ses cheveux ! Il s'est passé quelque chose d'autre à José Marti.

Quelque chose de bien plus grave.

Mais quoi ?

Et tous ces gens qui le reconnaissent, qui l'appellent par son prénom !

Insensé !

Gabriel marmonne, tape du pied contre le trottoir, trépigne, il n'a pas vu la Buick à la fumée noire de haut-fourneau qui pile devant lui. Le type passe la tête par la vitre, lui passe un savon en espagnol, puis repart en levant un doigt dans le plus pur style italien.

– *Gabriel de mierda !*

Gabriel de mierda ? Il a bien entendu… Non, pas possible !… Hein, Pedro, c'est pas possible, dis-moi ! Il caresse dans sa poche la boîte avec les cendres de son père spirituel, il en sort une autre, s'arrête pour se rouler une petite cigarette en plein milieu du trottoir, il s'est mis au tabac après la rupture avec Cheryl, c'est trop con. Une *jinetera* lui fond dessus, lui propose son *fuego*, il se méprend, lui donne sa clope roulée à la va-vite, sur la lancée il lui abandonne son tabac et son paquet de Riz la +, elle l'embrasse, à Cuba le papier à rouler est une denrée rare, elle repart en lui envoyant des baisers.

Gabriel sourit. Il remonte Zulueta jusqu'au musée d'Art cubain. Depuis combien de temps n'a-t-il pas mis les pieds dans un musée, ça doit se chiffrer en années ! La visite le propulse hors du monde, hors de la misère, le musée est magnifique, plus efficace que la fusée de la calle San Lazaro, rien à envier aux musées européens-étasuniens. Il prend son temps, il remonte le temps, il oublie la douce folie qui se joue de lui. Il a toujours aimé la peinture. Wilfredo Lam, le plus célèbre des peintres cubains, l'indiffère, pas venu à Cuba pour voir des surréalistes. Il préfère l'hyperréalisme naïf de l'art révolutionnaire. L'icône du Che est partout, Fidel nulle part, Fidel pas photogénique, Fidel a toujours méprisé les artistes et les artistes le lui rendent bien. Les toiles d'Agosto Acetone Leon le font rire. Il rit moins lorsqu'il découvre le carton du peintre. *Né en 1931, disparu en mer en 1964.* Encore un qui a dû finir dévoré par les requins en tentant de rejoindre *My sweet Miami.* Gabriel étouffe. Qui dit mieux ? Quel autre pays que Cuba offre ses génies en sabbat aux poissons ? Champion du monde des boat-people ! Combien d'artistes broyés par le système castriste ? La voix de Fidel lui tape dans la tête. *À l'intérieur de la Révolution, tous les droits. Contre la Révolution, aucun !* Pourquoi pense-t-il à ce moment précis que Castro va mourir pendant son séjour, étouffé par les miasmes de sa propre révolution ? Mais ça ne lui est d'aucun secours. Il veut sortir. Une sourde angoisse l'étreint. Grosse fatigue. Et soudain, au milieu de toute cette beauté tragique, une tête connue lui saute au visage, de l'autre côté de la travée.

Trotski !

Le photographe américain !

C'est lui ! Gabriel l'a vu, il n'y en a pas deux comme lui. Il court, il court, mais un bras l'arrête. *Señor, es prohibido correr, por favor.* Essayer de forcer le passage. *Vous ne voyez pas que je suis el Gabriel, espèce d'imbécile !* Passeport au nom de Walker Bush. Laissez-passer spécial de la Sécurité. Faire le malin ne servirait à rien, il renonce. Et puis, le bras est celui d'une séduisante femme en uniforme, pas la force. Dieu que ces femmes sont belles ! Il lui renvoie son sourire, s'excuse et la remercie d'avoir été aussi intraitable avec le misérable contre-révolutionnaire qu'il est.

Et voilà, il l'a perdu !

T'avais peur de devenir dingue. Plus besoin d'avoir la trouille : ça y est, c'est fait, l'objectif est atteint. Les flics de l'aéroport ne t'ont pas loupé... Gabriel pousse soudain un cri, en plein devant un portrait du Che. Pansement. Ah oui, plus de pansement. Il a dû partir tout seul dans la nuit, pendant ses ébats avec la puce...

Une puce ! Ils lui ont greffé une...

Tous ces gens qui l'appellent Gabriel n'existent pas : la voilà, la solution. Tu les as inventés, ils sont sortis de ton imagination ! De l'autosuggestion, voilà. Gabriel se gratte machinalement la nuque, il a toujours aimé passer le doigt sur ses cicatrices. Des conneries, tout ça ! La prochaine fois qu'un Cubain l'appellera par son prénom, il ne le lâchera pas.

Il sort du musée en quatrième vitesse, juste à temps pour voir le sosie de Trotski s'engouffrer dans un taxi Havanauto. Il pense à Léon, le vrai. Et à son assassin. Dire que Ramon Mercader a fini ses jours en suppôt de Castro, embauché par Fidel pour former les membres du G2, les services secrets cubains ! Gabriel n'a pas de répit. Il fonce, il fonce, et ce n'est pas cette vieille femme avec une canne qui le supplie de lui venir en aide qui l'arrêtera. Il lui donne un dollar mais elle n'en veut pas. Elle lui rend son argent et lui baise vigoureusement la main. Gabriel n'en peut plus.

— *No me llamo Gabriel !* Foutez-moi *la paz* !

La pauvre femme ne comprend pas, elle n'a pas ouvert la bouche. Un Cubain en *guayabera* en profite pour s'emparer du billet et partir en courant. La vieille femme l'insulte en le menaçant de sa canne. Gabriel sent qu'il va devenir fou. Il marche, il marche, il quitte Zulueta pour tournicoter dans les rues adjacentes, les noms sonnent comme des cloches. Calle Villegas. O'Reilly. Empedrado. San Juan de Dios. Tiens, Fidel ne l'a pas débaptisée, celle-là ! Il enquille la rue Aguacate. Un vieillard hagard lui propose des billets de dix pesos à l'effigie du Che. Pedro dans vingt ans. Plus de dents, nez de traviole. Il le soulage de son stock contre dix dollars. C'est trop, c'est beaucoup trop. Et alors ? L'homme l'attrape par la main, l'attrape par les yeux. *No es facil. No es facil...* Gabriel le serre dans ses bras. Et il se met à pleurer. *Han matado mi hijo, han matado mi hijo* [1]. L'homme ne peut plus s'arrêter. Des passants s'arrêtent. Gabriel leur fait signe de les laisser. Il abandonne cet homme, envahi par une sourde culpabilité. L'espace d'un instant, il est Cubain. Il ne saura jamais qui a tué ce fils. L'homme ne s'est pas relevé lorsqu'il arrive au bout de la rue. Il tombe en arrêt devant l'ancien palais présidentiel transformé en musée de la Révolution. Il hésite à entrer. Il regarde sa montre. Il y va. Quatre dollars l'entrée. Un pour

---

1 Ils ont tué mon fils.

les Cubains. À Cuba plus qu'ailleurs, tout est binaire. Apartheid caraïbe. Ceux qui paient en dollars et ceux qui paient en pesos. Moneda nacional et pesos convertibles. Noirs et Blancs. *Patria o muerte*. Ceux qui croient à la patrie et ceux qui doivent se contenter de la mort. La mort douce qui flâne, frappe aux portes des *solares*, qui ne dit pas son nom. À Cuba, dire peut coûter cher. Il faut une autorisation pour tout. Le CDR [1] veille. Pas besoin de perroquet comme Odalia.

Gabriel achète un billet, flâne au rez-de-chaussée, une salle de bal de l'époque coloniale, il tombe en pleine conférence. Il écoute quelques échanges. Langue de bois. Les mecs ont des gueules de vieux révolutionnaires transis, l'air de se faire chier terriblement. Déjà morts. Gabriel ressort, dépité. Il visite quelques pièces du musée. Tourne, tourne autour des vitrines, une boulimie de révolution. Il faudrait y passer la journée. Gabriel est fatigué. Un gardien en uniforme roule une pelle à une gardienne en uniforme. Tropique de la Révolution. Il éclate de rire. Il n'y a qu'à Cuba qu'on peut voir une chose pareille. Révolu-

---

1 Comité de défense de la Révolution. Épine dorsale de la révolution castriste, notamment au niveau de la santé et de l'alphabétisation, les CDR constituent, de par leur maillage très efficace de la population – on en compte en général un par pâté de maisons –, un redoutable outil de surveillance politico-policière, qui participe largement à l'état de paranoïa qui sévit à Cuba.

tion-révolution-révolution. Tourne, tourne, tourne la tête. *Ça ne va pas, monsieur ?* Tiens, une Française… Si, si, ça va, madame, ça va, ça va très bien, même… Gabriel lève les yeux.

Et tout à coup, il dévale l'escalier pour retrouver le vieil homme à qui il a donné dix dollars. Mauvaise conscience, pressentiment ? Il le retrouve au même endroit. L'homme n'a pas avancé d'un pouce. Il est étendu sur la chaussée. Gabriel croit qu'il est mort. Il lui prend le pouls. L'homme respire. Il le regarde, il le reconnaît. Il sourit. *Han matado mi hijo. Yo quiero morir. Yo quiero morir…* Gabriel Lecouvreur ne sait pas quoi dire, il ne sait pas comment le dire en espagnol. *No es facil, no es facil…*

C'est tout ce qu'il a trouvé.

12

Il y pense encore lorsqu'il flâne devant la
caserne des pompiers. Il admire un rutilant
camion de *bomberos* garé à la verticale de l'enseigne. À Cuba, l'idéologie fait rage jusque dans
les lieux les plus inattendus ; la caserne n'échappe
pas à l'emphase du maître. *On ne dira jamais
assez le courage et l'abnégation qu'il faut aux
héroïques soldats du feu pour se rendre victo-
rieux des flammes.* Signé Fidel. Avec l'autorisation du planton, Gabriel prend une photo de
l'enseigne. « *Mi padre es un bombero* », croit-il
utile d'ajouter en guise de remerciement. Et il se
rend compte qu'il n'a pas eu la curiosité de faire
défiler les photos enregistrées sur l'appareil
numérique. Il fait une tentative mais le système
est bloqué. Il ne saura pas si d'autres photos de
Troski figurent au programme. Plus loin, calle
Egidio, devant un bâtiment officiel délabré, il
assiste à un spectacle étonnant. Un car jaune cra-
chant une fumée noire stationne, sur le pare-brise
c'est écrit « Écoliers ». Cadeau du gouvernement
québécois à la République de Cuba. Douze militaires en uniforme vert et béret attendent, main

sur la hanche, prêts à dégainer, comme s'ils partaient à l'assaut d'un commando de terroristes. Dans le bus, d'autres militaires surveillent quelques types en civil. Des badauds assistent à la scène sans faire de commentaires. Parmi eux, un Noir d'une maigreur excessive, une canette de Bucanero à la main. Gabriel croise le regard hébété d'un de ces pauvres gars dans le bus. Il ouvre son sac et sort son appareil photo, mais un militaire lui fait prestement signe de le ranger. Gabriel s'exécute, il n'a pas air de plaisanter. Il voit quatre autres militaires sortir du bâtiment, poussant vers le bus un type se traînant sur des béquilles.

– Libérez Battisti, marmonne-t-il machinalement.

Il croise le regard du Noir à la canette et s'avance vers lui.

– *Que pasa, señor ?*

– *Limpieza*, répond le type à voix basse, en jetant un coup d'œil inquiet vers les forces de police stationnées quelques mètres plus loin. Français ? ajoute-t-il en lui tendant sa bière.

Gabriel la refuse d'un signe de tête.

– *Limpieza… Que es ?*

– Limpiar. Comment tu dice en français…

– Ah, nettoyage !

– *Jineteros*, ajoute le Noir en baissant la voix.

Leur conversation n'échappe pas à l'un des militaires, qui apostrophe le Cubain.

– *Eh… Tu ! Papeles.*

– Moi ? lance Gabriel.

Le militaire le regarde comme s'il avait dit une obscénité.

– *Touristo ?*

Gabriel hoche la tête.

– Oui, je m'appelle Gabriel. Francia. Paris.

– *No te preoccupes, compañero*, répond le militaire en lui faisant signe de dégager. *Espero los papeles !* ajoute-t-il à l'attention du Noir. *De prisa*[1].

Le Cubain sort sa carte d'identité, poings et dents serrées. Gabriel se dit que c'est le moment de se fier à sa bonne étoile. Que risque-t-il ? Puisqu'il semble bénéficier d'une protection officielle. Il le devance. Il sort son passeport et le tend au militaire.

– Tenez, voici mes papiers.

– *Que te pasa, compañero !* s'empourpre le militaire en s'en emparant, de plus en plus nerveux. *Conoces este hombre ?* ajoute-t-il en montrant le Noir.

– *Si, si. Es un amigo. Tenemos una cita por aqui*[2].

Flic ou militaire, il ne sait pas très bien, mais c'est pas tous les jours qu'on peut se foutre impunément de la gueule d'un représentant de la loi.

---

1 Ne t'inquiète pas, camarade… J'attends les papiers. Dépêche-toi.

2 – Que se passe-t-il, camarade ? Tu connais cet homme ? – Oui, oui, c'est un ami. Nous avions rendez-vous ici.

Le type ouvre son passeport, perplexe. Le Noir reste coi, poings serrés le long du corps, visiblement mort de trouille. Le militaire dévisage longuement Gabriel, compare l'original avec la photographie de Walker Bush.

– *De la familla del presidente estadunido ?*

– Cousin germain, ricane Gabriel. *Lejana familia.*

– *Que pasa aqui ? Es carnaval ?* lance un autre uniforme.

– *Creo que si*, répond le type en éclatant de rire. *Mira…*

Il invite ses collègues à le rejoindre. Le passeport de Walker Bush passe de main en main. Les militaires rient. L'homme à la Bucanero est pétrifié.

Gabriel se met à rire lui aussi. Retrouvant son sérieux, le premier militaire lui rend son passeport et fait signe au Black de garder ses papiers.

– *Tiene mucho suerte, compañero*, lui lance-t-il en riant.

Le Cubain est éberlué. Il fait signe à Gabriel de le suivre, pas la peine de rester dans les parages. Quelques instants plus tard, le bus démarre dans un nuage de fumée extravagant, emportant sa cargaison de prisonniers.

*

Le Cubain expliqua à Gabriel que ces types étaient des *jineteros* raflés par la police. On les regroupait dans ce bâtiment du ministère de l'Intérieur avant de les emprisonner puis de les renvoyer dans leur région d'origine. C'est aussi ce qu'on faisait pour les prostituées qui, elles, écopaient de fortes amendes et des interdictions de séjour de plusieurs années. D'où l'extrême prudence des *jineteras*. La première grande rafle avait eu lieu en 1997. Cette année-là, Castro avait expulsé des milliers de « Palestinos », habitants de la province d'Oriente venus chercher une vie meilleure à La Havane. Odalia aurait pu faire partie de ces gens-là. L'homme à la Bucanero s'appelait Balthazar. Il éprouvait un besoin viscéral de se confier, il apprenait la langue de Georges Perec à l'Alliance française et la rencontre d'un Français lui donnait des ailes, surtout un Français nommé Walker Bush qui venait de le sortir d'un si mauvais pas. Gabriel tenta un semblant d'explication, ce n'était pas son vrai nom, mais Balthazar s'en fichait comme du 26 juillet. Il était heureux d'être avec lui, *su hermano Walker*, c'est tout.

Il lui raconta comment il avait récolté *una muleta*, 180 pesos d'amende pour avoir parlé à un touriste devant un flic qui avait entendu le mot fatidique. Castro, il valait mieux garder ça pour les conversations du foyer, à l'abri des oreilles des CDR. Le flic l'avait un peu bousculé. Le ton était monté, il lui avait collé une amende pour rébellion. Sept dollars, son salaire mensuel d'instituteur. Balthazar exhiba le PV à moitié chiffonné, il avait un mois pour payer, faute de quoi l'État cubain se payait encore un peu plus sur la bête. Balthazar écumait, il était allergique à la police, il y avait beaucoup de flics racistes à Cuba, beaucoup d'entre eux étaient noirs mais ça n'empêchait pas, les flics étaient racistes, *shit*, et il était interdit de parler aux touristes étrangers, même si on n'était pas *jinetero*. Toujours fermer la bouche, Walker, *shit* ! Pas de journaux étrangers, *shit*, toujours la même *camiseta*, le même jean, les mêmes privations, ce pays est une prison à ciel ouvert. Balthazar enrageait. Il ne cessait de répéter « fermer la bouche » pour évoquer les Cubains contraints de se terrer dans un silence de mort, interdit de critiquer le régime, interdit de manger à sa faim, de voyager à sa guise, interdit de tout, sauf de mourir. Il ponctuait ses phrases de « *shit* » retentissants, grimace douloureuse. Cet homme était marqué par le fer de la souffrance, une souffrance névrotique, il le touchait plus que tout autre, et pourtant il ne cumulait pas les handicaps, contrairement à d'autres Cubains que Gabriel avait rencontrés. Peut-être cela tenait-il à des détails infimes, sa maigreur extrême, son visage émacié, la couleur ébène de sa peau, son débardeur déchiré, sa respiration sifflante, sa diction hachée, et l'impossibilité dans laquelle il était de ne pas pouvoir extraire une seule seconde de ses pensées la situation dramatique de son pays ravagé.

Et surtout, il détestait Fidel, qu'il appelait « notre président, *el presidente loco* ». Assez vite, il éructa sa haine d'un régime qu'il vomissait et, comme le régime était sec, ce n'était pas facile de renvoyer la bile de ses aberrations, toutes les saloperies, les injustices. Gabriel était sur le cul, c'était une première depuis qu'il avait mis les pieds à Cuba. Pour détendre un peu l'atmosphère, il lui dit qu'en France, tout n'était pas rose. Il évoqua les outrages, le pouvoir outrancier des flics, les contrôles au faciès, les bavures policières, tous ces meurtres racistes légalisés au pays des droits de l'Homme, jamais condamnés. Balthazar tombait des nues. Il ne le crut pas lorsqu'il lui raconta l'histoire de ce SDF qui avait été condamné à un mois de prison ferme pour avoir crié « Nique ta mère » au tout-puissant ministre de l'Intérieur Sarkozy.

Et c'est ainsi que Gabriel Lecouvreur écopa du sobriquet de Nick Walker.

*

Ils remontèrent à pied jusqu'à la calle Obispo et allèrent boire un verre dans une brasserie ancienne. La Lluvia del Oro. Gabriel oubliait ses petits soucis, il l'écouta encore et encore raconter sa vie. Son travail d'instituteur. Raconter l'histoire officielle aux enfants, selon les canons de la *Revolucion*, sinon : viré ! Toujours fermer la bouche, *shit* ! Les CDR qui contrôlent les faits et gestes de chaque citoyen. La délation institutionnalisée. La peur. Fermer la bouche. Sa fille de huit ans vivait avec sa grand-mère à Pinar del Rio, il ne l'avait pas vue depuis six mois mais ne disait pas pourquoi, il ne parlait pas non plus de la mère. Son rêve était de quitter Cuba, s'installer en France, à tout prix. Mais le prix à payer était à la hauteur de la chimère-obsession. Tandis qu'il roulait une cigarette à Balthazar, à la Lluvia del Oro, un junkie lui proposa deux dollars pour un paquet de Riz la +. Gabriel protesta, le type crut qu'il voulait marchander et monta jusqu'à trois dollars. Gabriel lui abandonna son papier. Deux semaines de salaire d'un instituteur pour se griller un petit pétard, *shit* ! Ils parlèrent aussi de ça, du haschich, très cher à Cuba, interdit et fortement réprimé, trop dangereux d'acheter du shit, à moins d'aller faire soi-même ses courses à Baracoa, à l'autre bout de l'île, la *hierbabuena* de Baracoa, pas celle qu'on utilise pour le *mojito*, toujours fermer la bouche, fermer la bouche, *shit*, *shit*, *shit*. Balthazar grimaçait, meurtri.

Il emmena Gabriel déjeuner dans un *paladar*, derrière le Capitole, calle Barcelona. Pour moins d'un dollar, Gabriel dévora un copieux *arroz frito* à la chinoise et un jus de mangue. La pièce faisait moins de huit mètres carrés. Une table contre le mur et trois places sur un banc. Deux ados et quelques adultes assis sur une banquette regardaient la télé, l'équipe cubaine de lutte gréco-romaine faisait des miracles, le commentateur n'avait plus de voix. Une flopée de gamins de six ou sept ans, à la peau cuivrée, torse nu, s'agitaient dans la pièce. L'un d'entre eux jouait avec une batte de base-ball en plastique et regardait d'un air intrigué ce grand oiseau blanc insolite. Gabriel lui tapota le front, piocha dans ses poches des Malabar, des stylos, des allumettes. Le gosse lui sourit. Tout le monde s'interpellait joyeusement, on entrait pour rapporter un livre, une paire de tenailles, un coupe-ongles, un sèche-cheveux. Balthazar ne laissa pas un millimètre carré de sauce dans son assiette. Gabriel se régalait. Balthazar devait retrouver un Mexicain qui lui avait commandé des cigares la veille sur le Malecon. Gabriel l'accompagna. Ils croisèrent un ami de Balthazar, homosexuel, au bras d'un touriste français. Alberto, ancien danseur devenu *jinetero*, gagnait en deux jours son salaire mensuel à lui, Balthazar, instituteur de la République cubaine obligé de faire croire aux enfants que des scientifiques cubains avaient prouvé que Jésus-Christ n'avait jamais existé. Sur la lancée, il raconta comment Fidel avait jadis interdit le père Noël et l'avait remplacé par Don Feliciano, avant de le rétablir dans ses fonctions en 1998. Complètement fou, *nuestro presidente*, *shit*. Le Mexicain ne vint pas au rendez-vous, *shit*, *shit*, *shit*. Balthazar s'énervait après lui, il avait besoin de l'argent de ces cigares pour acheter une paire de chaussures neuves à sa fille, cela faisait trop longtemps qu'elle avait changé de pointure. Gabriel préleva vingt dollars sur son pécule. Sept pour la *muleta*, le reste pour les souliers. Balthazar l'embrassa.

Nick Walker, mi hermano. Il lui donna une adresse internet chez une voisine, il passait relever sa boîte aux lettres tous les soirs, parfois même l'après-midi quand il passait dans le coin, ils allaient se revoir, oui.

13

Comme la plupart des édifices religieux de Cuba, la cathédrale de La Havane est presque toujours fermée au public, la visite papale de 1998 n'y a rien changé. Gabriel traversa la place, dépité. Il avait eu envie de se recueillir. *Envie de quoi, Poulpe ? Tu peux répéter ?* De prendre le frais, Ducon ! *De t'agenouiller, ouais ! Mon Gabriel qui fait d'la lèche aux ratichons !* La voix moqueuse de Gérard le crucifie. Mal à la tête. Il a le vertige. Titillement des narines, fourmis plantaires, il y a des signes qui ne trompent pas. Sans parler de la petite berceuse indolente qui traverse son crâne d'est en ouest et va se planter comme une flèche derrière son oreille droite. Celle qui prend le vent quand le temps est à la neige. Les acouphènes. Gabriel les entend. Ils sont revenus ! Depuis qu'il a arrêté la bière et s'est mis au pinard, ça n'arrête pas. Il s'arrête pour se gratter l'oreille. Ah, ça y est, ça va mieux... Plus de bruit. Sur la place, trois douzaines de touristes à tout casser. Sifflement dans les oreilles. Comme si quelqu'un cherchait à communiquer avec lui. Il pense à Balthazar. Sa souffrance le hante. *Qu'est-ce que tu*

peux pour lui, Nick Walker ? Les mots de l'instituteur l'assaillent. *Qu'est-ce que tu peux pour
tous ces malheureux, Gabriel ?* Ah, là, ça devient
sérieux. Comme si ça venait de très haut. Gabriel
Lecouvreur pousse un cri. Pas se laisser abattre
par un petit prurit mystique. Là-haut, des hordes
de mouettes filent vers les terres. Les flèches de
la cathédrale percent le ciel bleu. Le Très-Haut !
Il rigole en douce. Se pourrait-il qu'en remplaçant le houblon par le vin, il ait pu accéder à des
visions… messianiques ? Moi, Gabriel Lecouvreur, l'athée impénitent, je serais l'intercesseur
de Vos hautes œuvres ? La voix qui lui répond est
suave, onctueuse comme un baume. *Oui, Gabriel.
Si tu fais alliance avec ce Nick Walker Bush dont
tu as usurpé l'identité, tu peux faire de grandes
choses…* Qu'est-ce que vous entendez par là ?…
*De grandes choses pour aider le peuple cubain,
je ne sais pas, moi… Un peu d'imagination, que
diable ! Euh, pardon… Tu as peut-être mieux à
faire que de distribuer tes dollars à tous les malheureux qui croisent ton chemin… Non ?* Gabriel
se gratte la nuque à l'endroit où… Oh nom de
Dieu ! Ils lui ont collé une ligne céleste, ou quoi ?
Ça commence à dérailler, là. Gratte, gratte, et
plus il se gratte, plus ça le démange. Ça le
démange de savoir à quelle sauce il va être
mangé. Mais soudain, plus besoin de médiateur
pour intercéder : il *Le* voit. C'est la rencontre du
troisième type. Il a envie de crier.

    Jésus !

En chair et en os ! Il est revenu ! Christ est ressuscité ! Mon Dieu !... C'est Lui ! Amène ta caméra, Mel Gibson !

Non, pas possible !

Le type n'est pas crucifié, non. Il est sagement assis en tailleur sur un muret, à l'entrée de la rue Empedrado. Il lit le journal. Plié, le journal, impossible de voir s'il s'agit de *Granma* ou d'un canard étranger. Ce qu'on peut voir, en revanche, ce sont les piercings qui labourent son visage. Le front, les joues, les lèvres, les oreilles, le nez, il en a partout. Des dizaines et des dizaines d'anneaux alignés comme des barbelés. Un vrai porc-épic. Gabriel ferme les yeux. Il n'a pas rêvé. Ce type est un punk-épique. Il sort l'appareil numérique de son sac. Zip : une petite photo en douce. Zap : le type quitte sa fausse somnolence, lève la tête vers lui, tend la main, un automate.

– *Dos dollares la foto.*

Deux dollars, il y a longtemps que l'ersatz christique a rentabilisé ses stigmates. Gabriel raque. Nom de Dieu, cette tronche ! Le visage halluciné de Punk-épique n'est pas près de le quitter. Il pense à cette histoire atroce qu'il a lue dans le bouquin de Fogel et Rosenthal. Les Friskis, ces Cubains qui s'inoculaient le virus HIV dans l'espoir de fuir Cuba dans la charrette des réprouvés, à l'époque où Castro envoyait les homosexuels déviants en rééducation dans des camps. Le combat de l'écrivain Reinaldo Arenas. La répression des intellectuels et des écrivains dans les années 1980, tous ces Cubains qui n'avaient trouvé de salut que dans le suicide. Frissons. Il traverse la rue. Ne plus voir ce mec. De l'autre côté, une autre curiosité. Une Noire tout habillée de blanc, chapeau, robe, jupons, ombrelle. Dondon angélique, toute en rondeurs, sourire vissé au cœur. Une prêtresse de la Santeria. Une *iyaloche*. En train de tirer les cartes à une femme transparente. Gabriel attend son tour. De temps en temps, un coup d'œil atterré au punk-épique. Son rêve à lui, c'est d'assister à une séance de vaudou, les messes noires, tout ça… Il lui pose la question, pas certain qu'elle l'ait compris. Elle déploie ses tarots sur le tapis et l'invite à prendre place sur le coussin posé devant elle. La femme parle très vite, mélange d'espagnol et de dialecte créole, elle mange ses mots, Gabriel lui fait répéter deux fois et ne comprend que deux mots sur trois. De ce flot de paroles, il retient l'idée qu'il va lui arriver quelque chose de très important, tellement important que la prêtresse est proche de la transe. Elle s'arrête tout à coup, se signe et lève les bras au ciel.

– Oh, tu as raison, Yemayà… (Elle reprend sa respiration et continue :) Je vois à ton côté un homme puissant et fort. Tu vas acheter un coq noir et tu me l'apportes pour que je le travaille…

Gabriel croit avoir mal compris. Il la fait répéter trois fois. Un coq ? Et où trouve-t-on un coq à La Havane ? Les coqs, ici, on les entend partout, depuis qu'il est là, il a l'impression de vivre dans une basse-cour géante, mais en dégoter un, c'est une autre paire de manches !

– *Un gallo ? Gallina ?*

Les manches blanches de la prêtresse battent de l'aile, ses joues s'empourprent, elle lui sourit.

– Oui, un coq. Ensuite, tu reprends coq chez toi pendant huit jours et tu apportes.

– Je vous l'apporte *ici*, sur la place ?

– Ah non, je te donne adresse. *Vivo a Regla, missie.*

Gabriel abandonne dix dollars à la prêtresse. Elle empoche les billets avec un large sourire, écrit son adresse sur un bout de papier. Au suivant !

Gabriel se sent léger. Dieu, Jésus, la prêtresse, il a fait le tour du problème. Tout ça en moins d'une heure, emballez c'est pesé !

*

Calle Obispo. La rue commerçante la plus connue de La Havane, en pleins travaux. Quand le libéralisme mondial mettra la main sur Cuba, elle sera déjà prête. Calle Obispo : rue de l'Évêque, on a vu des transitions plus délicates. Il prend un verre de vin français et un sandwich au Café Paris. Il s'assied près de la fenêtre. De temps en temps, une main se tend vers lui à travers le moucharabieh en fer forgé. Dollars, dollars. Gabriel ne cède pas : l'ordre vient de très haut, il a bonne conscience. Un orchestre joue au fond de la salle.

Cuivres, guitares. Comme un peu partout à Cuba dans les endroits touristiques. À La Havane, les musiciens gagnent vingt fois mieux leur vie que les enseignants, *shit*. Mélange de blues et de *son*. Gabriel se laisse aller. La serveuse a l'air revêche des tenancières de bordel dans les westerns. À tout moment, on a l'impression qu'elle va sortir un flingue et buter le premier qui la regarde de travers. Elle a surtout l'air complètement crevée, la pauvre.

Dans la rue, il s'arrête devant un vieillard assis sur un pliant. L'un de ces vendeurs de *Granma* qui arpentent les rues de La Havane. Certains proposent aussi *Trabajores*, l'autre quotidien cubain, un peu moins insipide mais tout autant bâillonné par le régime que l'*Organo official del comite central del partido communista de Cuba*. Nostalgie francaoui. *Le Parisien* lui manque. La profusion des kiosques parigots lui manque. Ici, il n'y a *rien*. *Nada*. Se contenter de CNN en langue espagnole, ou de Télé-Miami-Marti, qu'on ne capte évidemment pas dans les hôtels. Gabriel achète le journal. Vingt centavos. Il paie en pesos convertibles. L'homme lui sourit, la misère a emporté ses dents. Papier recyclé. Maquette austère. Photos de qualité médiocre. Pas le temps de lire qu'un énième Cubain l'attrape fermement par le bras. *Granma* voltige dans le caniveau. Gabriel caresse un dollar chiffonné dans sa poche. Le regard du type le dissuade de sortir le billet vert. L'homme se penche vers lui, maintenant la pression sur le bras.

— *Mucha calor, señor…*

— *Si, mucha calor.*

— *Francese ?*

— On ne peut rien vous cacher.

Gabriel ricane. *Ô jineteros !* Pas son interlocuteur, qui lui colle la bouche sur l'oreille. Son français est hésitant mais ce qu'il dit l'est moins :

— Vous devez aller bord de la mer, monsieur. Beaucoup moins chaud. Moins humidité qué La Habana… *Esta muy bonita Trinidad…*

Gabriel lève la tête, de quoi je me mêle ?

— De toute façon, rien ne passera dans les jours de demain, señor Gabriel… *No olvide ! Trinidad…*

Gabriel sursaute. Trinidad ? La Sainte-Trinité ? Mais non, Ducon, remballe ta piété ! Trinidad-*ciudad* ! La ville. Il a trop chaud. Le temps de réaliser, l'inconnu est déjà parti. Il le voit tourner au coin de la rue. La foule compacte l'empêche de le rattraper. Une femme lui barre la route. Il la heurte de plein fouet. Il lui jette un regard excédé et s'en veut aussitôt. Maigre, le teint cireux. Nattes poivre et sel. De beaux yeux verts. L'impression fugace qu'elle crève de trouille. Elle baisse la tête, elle est déjà ailleurs. Tout le monde a peur dans ce pays, tout le monde crève de trouille… Tous ces gens qui connaissent son nom, ça commence à bien faire. Il y a forcément une signification à cela. Gabriel a beau se creuser la tête, à moins d'imaginer un complot à grande échelle mis en place par les Cubains, il ne voit pas. Un complot pour qui, pour quoi ? Ça n'a pas de sens. Mais qu'est-ce qui a du sens dans ce pays régi par l'absurde ? Il pense au chauffeur de taxi de l'aéroport. L'ancien vétérinaire. *Si vous voulez acheter des cigares, venez me voir, j'habite près de la gare. Hasta luego, señor Gabriel !* Señor Gabriel. Lui aussi connaît son prénom. Il fouille dans ses poches, où est-ce que j'ai bien pu mettre cette putain de carte de visite ? Gabriel vide ses poches sur la table. Il la dégote enfin. En fait de carte de visite, un dessous de bière Hatuey. L'adresse est écrite en bâtonnets.

Fransisco Platet
22 calle Jesus Maria
Vieja Habana (cerca Estacion)

Gabriel tourne et retourne la carte. Pas de téléphone. Hatuey. La moins connue des trois bières cubaines. Aussitôt bue, aussitôt oubliée. Gabriel s'en fout comme de sa première Corona ; de toute façon, il n'aime plus la bière. L'Indien Hatuey s'était révolté contre les conquistadores. Avait été torturé. Avait péri sur le bûcher. Passé à la postérité grâce à une marque de bière. Un peu comme le Che, en moins grandiose.

*

Gabriel fonça à la cyberboutique Etecsa, calle Obispo. Un endroit ultramoderne, climatisé, pourvu de cabines téléphoniques confortables. Les hôtesses en uniforme bleu marine de la Compagnie cubaine de téléphone étaient sapées comme des hôtesses de l'air. Minijupe, girondes, sourires étincelants, Dieu quelle beauté ! Des Cubains friqués s'affairaient au comptoir, et pourtant le portable n'avait fait qu'une très timide apparition à Cuba. Il fit la queue pour acheter une carte téléphonique à dix dollars. Refit la queue au guichet internet. L'employée rangea son passeport dans un tiroir après l'avoir montré en riant à deux de ses collègues, puis elle lui confia un ordinateur. Le matos et le design étaient ultramodernes, mais la bécane ne voulait rien savoir. Panne de courant. *Apagon.* Sa première depuis qu'il était arrivé à La Havane. Plus qu'à attendre la fin de l'alerte. Par chance, le courant revint au bout d'une petite demi-heure.

Il envoya un courriel en espagnol à Balthazar.

Salut Balthazar, comment va ? Je suis rue Obispo, je vais rue Jesus Maria à quatre heures. Retrouve-moi devant la maison natale de José Marti si tu peux. Salut. Gabriel.

On verrait bien. S'il venait, tant mieux. Sinon, tant pis. De toute façon, il y avait peu de chances que Balthazar soit posté derrière l'ordi de sa voisine.

Il pianota le nom de sa boîte aux lettres : movida26@cubarte.cult.cu. Quatre minutes pour obtenir la ligne. Le code confidentiel à présent : *cereza amarga.* Cerise amère. Les Cubains donnaient dans la poésie. Pas de message. Il cliqua sur l'icône « Voila », entra « movida ». Le moteur de recherche recensait plusieurs centaines de liens. Gabriel fit défiler les trois premières pages. La plupart renvoyaient au mouvement culturel madrilène. La fameuse *movida* d'Almodovar et compagnie. Inutile de rechercher dans cette direction. Movida 26, comme movimiento 26. L'analogie s'arrêtait là. Il revint à la page précédente, tapa « movida26 », attendit une petite minute. *Nuestro sitio es momentamente indisponible.* Ben voyons. La note était déjà de trois dollars, inutile d'insister. Il régla et sortit.

La pluie s'était mise à tomber. Une pluie tropicale, drue et froide. Des seaux de flotte. Il avait l'air malin avec ses spartiates de curé. Gabriel était transi de froid. Il marcha jusqu'à la rue Aguacate, héla un pousse-pousse. Le môme qui pédalait ne devait pas avoir plus de quatorze ans.

– *Cuanto por la calle Jesus Maria ?*

– *Dies pesos, señor.*

Les mecs pédalaient comme des invertébrés, ils n'avaient même pas de dérailleur. Un quart d'heure plus tard, le tacotac le déposa à l'angle de Jesus Maria et de Compostela. Gabriel était tout trempé. Il donna un peso convertible au gamin. Vingt fois plus que ce qu'il avait demandé. Le môme était aux anges. Une dizaine de Cubains jouaient aux dominos sous un hangar. Il se mêla à eux pour s'abriter de la pluie. Visiblement, on n'avait pas tellement l'habitude de voir des touristes dans le coin. La plupart des joueurs de domino avaient passé la soixantaine. Ils avaient les traits burinés des copains d'enfance de Pedro. Ici, aucun Noir, aucun mulâtre, rien que des descendants de colons espagnols. Il se demandait ce qu'ils pouvaient bien foutre dans la vie, à part attendre et jouer aux dominos. Une fille en short moulant dégustait une glace sur un banc. Gabriel s'assit à côté d'elle.

– *Que lluvia, eh!*

– *Muy bonito, no!*

La fille agita son esquimau à la vanille sous son nez. Main ruisselante de pluie. Clin d'œil. Sourire gourmand. Allons donc... Elle avait à peine quatorze ans, ce n'était tout de même pas une ginette! Gabriel secoua la tête.

– *No quiere helado?*

– *Si, si. Pero...*

– *Toma.*

Gabriel se retrouva avec le bâton de plastique entre les doigts. Elle lui fit signe de lécher l'esquimau. Il s'exécuta, un peu gêné. La gamine éclata de rire. Vraiment qu'à Cuba qu'on pouvait voir une chose pareille!

– *Bueno?*

– *Si. Gracias. Como te llama?*

– *Yerna.*

L'adolescente lui reprit l'esquimau des mains, se leva et disparut dans la foule en lui faisant un petit signe de la main. Gabriel avait du mal à se remettre de ses émotions. Il brava la pluie et courut jusqu'à la maison natale de José Marti, calle Egidio, en face de la gare centrale de La Havane.

Pas grand intérêt architectural, la maison du héros national. Évidemment, Balthazar n'était pas là.

Il attendit un petit quart d'heure, le temps de se rouler deux cigarettes et d'être abordé par deux Cubains désireux de savoir si son tabac était *suave o fuerte*. Puis il fila calle Jesus Maria.

*

Devant l'entrée du 22, un attroupement. Une quinzaine de personnes discutaient sur le trottoir. Gabriel s'arrêta devant le petit groupe.

– *Yo busco el señor Platet…*

– *Ay! que tristeza!* lui répondit une vieille femme. *Tu… amigo de Fransisco?… Amigo frances? Pobrecito!*

Gabriel hocha la tête.

– *Que pasa?*

La vieille femme se signa fiévreusement puis croisa les mains. L'explication tomba de la bouche d'un Cubain en bermuda :

– *Assassinado.* Vous êtes français?… On a retrouvé son taxi ce matin, près du port. (Il se passa vivement le pouce sous la carotide.) L'assassin trancher la gorge…

Gabriel se sentit mal. Le seul Cubain susceptible de l'aider avait été assassiné. Mourir de mort violente, c'était peut-être ce qui lui pendait au bout du nez. Mais pas comme ça. Pas ce truc aussi barbare. Il avait la trouille. Envie d'en savoir plus. Et plus encore de déguerpir. Il guettait avec appréhension le « Gabriel » qui n'allait pas manquer de lui tomber sur le coin du bec. Pas de raison que ça s'arrête. Mais rien ne vint. L'homme en bermuda ne s'occupait plus de lui. Les voisins reprirent leurs conversations comme si de rien n'était. Gabriel jeta un regard circulaire sur le trottoir. Personne qui ressemblât à un agent de la Sécurité cubaine, ou à un mouchard. Mais était-il capable de les reconnaître ? Mieux valait ne pas trop traîner dans le quartier, de toute façon. Et puis, il était attendu chez la tata d'Odalia.

14

La tante d'Odalia avait cinquante ans. Son visage rieur et juvénile en affichait dix de moins. Comme beaucoup de Cubaines, les années de disette avaient affiné sa silhouette jusqu'à la rendre maigre. Elle s'appelait Cecilia. Son mari Yudel lui avait donné deux filles. L'une vivait en Argentine, l'autre en Italie. Toutes deux avaient fait des mariages d'intérêt avec des touristes argentés pour échapper à la misère. Toutes deux étaient enceintes de leur premier bébé. Gabriel bénissait Pedro de lui avoir appris le castillan car Cecilia ne parlait pas un mot de français et son espagnol mitraillette réclamait une attention de tous les instants.

Il fut accueilli par le perroquet Kuka et les jappements du chien Peligro, un énergumène rase-mottes doté de deux monumentales oreilles qui évitaient l'acquisition d'un balai. Comme son nom [1] ne l'indiquait pas, le toutou était une crème de chien.

– Libérez Battisti ! cria l'oiseau.

---

1 Peligro : danger.

— Il apprend vite, constata Gabriel.

— Qui est Battisti ? demanda Cecilia. Depuis que tu es passé, il ne crie plus « Odalia puta », mais « Libérez Battisti ». Elle va être contente !

Gabriel répondit qu'il ne savait pas, il allait se renseigner, et la conversation roula. Odalia n'était pas rentrée, elle n'allait pas tarder. Yudel avait prévenu de son retard ; en plus de son travail officiel payé par l'État, il arrondissait les fins de mois en achetant des caisses de bière Bucanero qu'il revendait au détail dans la rue. Cecilia avait longtemps été couturière. Elle avait cessé de travailler depuis que la police avait saisi la Singer sur laquelle elle effectuait des menus travaux pour le voisinage et n'avait échappé à la prison que parce qu'elle était bien vue du CDR. Où quelqu'un l'avait pourtant dénoncée. Schizophrénie cubaine. Depuis quelques années, Fidel autorisait l'artisanat, mais elle n'avait pas assez d'argent pour acheter une nouvelle machine à coudre. Et elle détestait la couture. Pour l'heure, ses soucis étaient d'une autre nature. Yudel et elle convoitaient un appartement plus grand dans le quartier, mais il leur manquait deux cents dollars pour payer l'avocat chargé d'officialiser le troc [1].

---

1 À Cuba, les habitants, théoriquement propriétaires de leur appartement, n'ont pourtant pas le droit de le vendre car il appartient de fait à l'État. Le troc est donc la seule solution pour déménager, et les démarches administratives sont extrêmement longues et coûteuses.

Le leur était tout petit. Trop petit pour accueillir Odalia, même si elle évitait d'amener ses clients ici. Un escalier en colimaçon menait à la mezzanine. Les fauteuils défoncés recouverts de couvertures à bout de souffle contrastaient avec la mini-chaîne flambant neuve qui diffusait Celia Cruz en boucle. Cadeau du gendre italien. Étagères croulant sous un amas de bibelots, poupées, fleurs en plastique, boules de neige en verre, motifs religieux en porcelaine, photos des beautés de famille. Une vierge noire en bois et un crucifix trempé dans un verre d'eau trônaient entre les deux ventilateurs tournant à plein régime. Toujours la Santeria.

— Quels sont les trois acquis de la Révolution, Gabriel ?

— Je ne sais pas.

Cecilia préparait le repas. *Moros y christianos.* Haricots rouges et riz. Le « plat national » havanais. Gabriel salivait.

— La santé, l'éducation, le sport... Et les trois pertes ?

Il se gratta la tête.

— Euh, la liberté...

— Pas du tout. Les trois pertes de la Révolution sont le petit déjeuner, le déjeuner, le dîner !

— T'en as d'autres comme ça ?

— Il y a la blague du requin mordu par un Cubain sur la plage de La Havane, mais tu dois la connaître... Ah, oui ! Tu sais comment on appelle les aliments à Cuba ?

– Non.

– Les Américains : ils menacent toujours de débarquer et on ne les voit jamais… Quand on a le ventre vide, on se remplit la tête avec des *chistes* [1], poursuivit Cecilia en débitant un oignon. *No es facil, no es facil…* Maintenant, ça va mieux, mais pendant la période spéciale, c'était la croix et la bannière, il n'y avait même pas de riz…

Cecilia récite la litanie de la débrouille culinaire qui fut leur lot pendant presque une décennie : steak haché au soja, vinaigre au pamplemousse, flan de banane, pudding de manioc, flan de noix de coco sans lait, croquettes sans viande. Elle parle de la *libretta* [2], toujours en vigueur après quarante ans de révolution. *Gabriel, tu sais pourquoi on appelle la libretta les « règles » ? Parce que ça revient tous les mois, parfois il y a du retard et ça ne dure que quelques jours.* Elle parle de sa sœur Hilda atteinte de polynévrite, cette maladie de la malnutrition qui frappa des milliers de Cubains [3].

---

1   Chiste : blague. Les Cubains en sont très friands.
2   Carte de rationnement alimentaire instaurée en 1962 pour garantir un minimum vital à la population et limiter la spéculation.
3   Et provoqua la destitution, en 1991, du ministre de la Santé, Hector Terry, qui eut le toupet d'attribuer devant Castro la responsabilité de l'épidémie de polynévrite au manque de nourriture qui frappait alors le pays.

Elle se souvient avec émotion de l'époque où, pour pallier l'absence de shampooing, elle se lavait les cheveux avec une décoction de feuilles de nopal. Où dentifrice et bicarbonate de soude tenaient lieu de lessive. De celle où il y avait pénurie de dentifrice. Elle se souvient de l'année des pois cassés, ingérés jusqu'à l'écœurement. Elle va chercher dans la bibliothèque un livre intitulé *Plantes comestibles des forêts, catalogue*. La cuisine en temps de guerre, citations de Fidel à l'appui. Fidel, Cecilia n'aime pas trop en parler. Gabriel la pousse dans ses retranchements, il se sent maladroit. Cartésien qui veut comprendre ce qui ne l'est pas. Cecilia n'est pas *fidelista* mais, malgré tout, quelque part au fond d'elle subsiste une part de respect. Il y a du père dans le *Comandante en jefe*. Tant pis si le patriarche est devenu une aberration mythologique totalement coupée des réalités de la vie. Cronos dévorant ses enfants. Progéniture reconnaissante qui s'oublie dans le ventre de la bête, macère dans les sucs castriques, Fidel est devenu une sorte d'*alien* redouté de tous. À Cuba, le syndrome de Stockholm fait rage. On sait ce qu'il en coûte de contester. *Dans ma cellule cubaine.* Cecilia se plie. Rien à voir avec les missiles imprécatoires du chien fou Balthazar. Et pourtant, leur souffrance est exactement la même. Gabriel se demande ce qui se passerait si Fidel venait à mourir. Combien de gens pour le pleurer vraiment ? Combien de temps pour écarteler le cadavre du monstre ? Combien de morts avant de le vouer aux gémonies caraïbes ?

Odalia n'arrivant pas, Cecilia et son invité mangent en tête à tête. Le délicieux *yuca* [1], *abogados*, rôti de *cerdo*, *moros y christianos*. Le tout arrosé de *ron* et de Cuba libre. Gabriel savoure, mais l'absence d'Odalia lui brouille le ventre. Cecilia, elle, ne s'inquiète pas, elle a l'habitude de la vie dissolue de sa nièce. Mais la mort du chauffeur de taxi lui trotte dans la tête. Il regrette de ne pas avoir fait sa petite enquête auprès des voisins. Il en vient à se demander si Odalia est vraiment la nièce de Cecilia et Yudel. Pas très crédible, tout ça : Kuka en est la preuve. Et puis, il ne lui a encore donné aucun dollar, pourquoi le laisserait-elle tomber ?

Un peu avant minuit, Gabriel décide de partir. Ni Odalia ni Yudel ne sont rentrés. Ils s'embrassent longuement, il promet de revenir. Il laisse son numéro à l'hôtel. « Libérez Battisti », lui lance le perroquet en faisant du trapèze dans sa cage. « Odalia puta », répond Gabriel à voix basse. Le chien Peligro l'accompagne jusqu'au bas de l'escalier, dans la rue moite des tropiques.

*

---

1 Tubercule très répandue à Cuba, proche du millet.

Il flâne sur le Prado, prend un mojito à Las Terrazas, un beau magicien black fait son numéro, balles de tennis transformées en foulards, il lui donne un dollar et file à l'hôtel Carribean pour interroger sa boîte à lettres.

Un courriel l'attend sur movida26, daté de 15 heures 28.

Te gusta el Christo, Gabriel[1] ?

L'expéditeur apparaît sous la dénomination «*caballero*». Mais qu'est-ce que c'est que ces conneries ? Gabriel vitupère. Envoyer une réponse ? Il écrit : *Où es-tu, Odalia ?* puis annule le message. Il commande un *mojito* au bar. Retour au web. Message à Balthazar. *Balthazar, il faut que je te voie demain. Midi sur les marches du Capitole. Abrazos.* Retour au menu général. Un nouveau message l'attend. Mais ce n'est pas Balthazar.

Te gusta moros y christianos, Gabriel ?
Caballero.

Gabriel fulmine. La peur s'immisce dans ses artères. Ces salauds épient ses moindres faits et gestes. Il vide son verre, excédé. Il tape : *Odalia fait partie de votre plan, c'est ça ? Quand dois-je partir à Trinidad ?* Il hésite un peu avant de cliquer sur la touche envoi.

La réponse arrive une minute plus tard.

---

1 Tu aimes le Christ, Gabriel ?

Ta petite putain va bien mais ne cherche pas à la revoir. Pourquoi veux-tu aller à Trinidad ? Tu n'es pas bien à La Havane ?

Gabriel pianote fébrilement :

Où êtes-vous ? On peut se voir ?

La réponse tombe deux minutes plus tard :

Je vais me coucher, maintenant. La journée a été difficile. Inutile de me poser d'autres questions. À demain.

– Mais dans quel merdier j'ai mis les pieds ! Et merde !

Gabriel se déconnecte. Web over. Trois dollars. La tentation est grande de s'arsouiller au bar. Dragouiller la blonde qui le couve des yeux depuis qu'il s'est installé devant l'ordi. Tentant aussi d'aller flâner sur le Prado. Se saouler la gueule avec Balthazar. Mais il n'en fera rien : il ne sait pas où il habite. Retour à l'hôtel Lido. Il se retourne de temps en temps. Personne ne le suit. Au moment de s'engager dans la calle Consulado, le déclic. Nick Walker Bush revient sur ses pas. Retour au Carribean. La blonde a pris sa place derrière la bécane. À la vue de Gabriel, un large sourire illumine son visage.

– J'ai oublié un message, bafouille-t-il.

– Vous voulez je vous passe la place ?

Scandinave, la blonde. Sympathique. Sourire pyromane. Soudaine envie de lui sauter dessus. Gabriel chasse cette idée. Odalia, Odalia…

– Je vous laisse place, je suis pas pressée. Je vais cherche *beber* ?

156

– Attendez, je vais entrer mon code.

– Non, non, j'ai pas problème *money*, *you know…*

Gabriel s'installe sur le tabouret, son petit doigt lui dit qu'il va enfin assouvir son plus vieux fantasme : s'envoyer en l'air avec une Suédoise. Car elle est suédoise, comme l'indique son adresse électronique : salma.andersen@yahoo.se. Il tape l'adresse de son pote Francis. À Paris, il est sept heures du soir, de toute façon l'encyclopédiste du web est toujours tapi derrière son écran.

Salut Francis, ici Gabriel, je t'écris de La Havane. Movida26 et caballero, ça te dit quelque chose ? J'aimerais bien savoir aussi qui sont Dantec et Battisti. Biz. Gab.

La réponse de Francis arrive avant le *mojito* de Salma Andersen, en train de roucouler avec le barman.

Ben mon salaud, tu te fais pas chier ! Cuba ! Movida26 : sûrement un truc lié à la révolution cubaine. Caballero : cavalier, ou monsieur. Tu veux que j'essaie les noms propres ? Dantec, il me faudrait une nuit pour te faire un résumé. Ce mek est malade grave, je t'envoie ça demain sur la BAL de Salma Andersen ? Une Suédoise, putain, tu te fais vraiment pas chier… Battisti, tu connais pas ? Putain, t'écoutes pas les infos, mek ! Cesare Battisti, écrivain italien, ancien activiste d'extrême gauche condamné à perpète par contumace pour des meurtres qu'il nie avoir commis, réfugié

*en France depuis 1991, son extradition a été
refusée à l'épok. La Berlusconie vient de rede-
mander son extrade à la Chiraquie. Arrêté il y a
trois jours. Grosse mobilisation de soutien ici.
Perben déblok grave, mensonges d'État, pas vu
garde des Sceaux aussi réac depuis Peyrefitte. Au
secours, la droite revient, et elle va nous en faire
chier ! Un conseil, Gab, reste à Cuba, ça sent
trop le roussi issi. Hasta tchao. Francis.*

Gabriel tape sa réponse.

*Je te signale qu'à La Havane, on ne trouve
aucun journal étranger. Je veux bien tout ça.
Je suis dans la merde, peux pas t'en dire
plus, Salma m'attend avec un mojito ! Gracias.
Gab.*

Gabriel déconnecte l'ordinateur et rejoint
Salma Andersen au bar.

*

Le veilleur de nuit de l'hôtel Lido était un jeunot avec une bille de clown.

– Quelqu'un voulait vous voir, señor. Une
femme. Elle semblait très fâchée de ne pas vous
trouver. Elle a dit qu'elle repasserait.

L'œil de Gabriel s'alluma. Se peut-il qu'Odalia...

– Elle était comment ? Jeune ?

– Je suis désolé, monsieur, je n'ai pas le droit
de vous dire en plus.

À moins que Salma...

– Mais vous pouvez me la décrire, quand même !

– Non. Je suis vraiment désolé.

Gabriel bouillait. De toute façon, il n'avait pas donné son adresse à Odalia, et Salma ne pouvait pas être passée, étant donné qu'il venait à peine de la quitter. Le type se pencha vers lui.

– Je risque ma place, je ne veux pas avoir d'ennuis, vous comprenez ?

– Vous plaisantez ?

– Hélas, non. Je n'ai pas le droit.

– Vous n'avez pas le droit… de plaisanter ? *It's a joke, man ?*

– Je n'ai pas le droit de vous dire que c'était une très jolie femme, ajouta Bille de clown en éclatant de rire. Je vous ai bien eu, n'est-ce pas ?

Gabriel haussa les épaules. Il riait jaune.

– Comment était-elle ?

Les mains du Cubain sculptèrent un binôme nichons-fesses. Sifflement admiratif.

– *Muy linda !*

– Elle n'a pas dit où elle allait ?

Il fit signe à Gabriel de s'approcher :

– Elle n'a pas dit où elle allait, mais moi, je peux vous le dire, señor. Chambre 407. *Arriba muchacho !* La señora Simona est une femme de caractère…

Gabriel serra les poings dans ses poches. Il l'avait oubliée, celle-là. Il prit sa clef, sans un regard pour Bille de clown qui continuait à rigoler.

– Que te pasa, señor Gabriel… Hé !

Nick Walker Bush appuya sur le bouton de l'ascenseur, dans sa tête il braquait un revolver sur le petit rigolo de la réception, mais il se contenta de soigner ses démangeaisons au plumard.

15

Gabriel n'avait pas beaucoup dormi. Il avait trouvé le sommeil au premier chant du coq, mal de chien à se rendormir, réveil en sueurs. Dans le rêve, Odalia est allongée sur le trottoir, nue, une écharpe autour des hanches laisse apparaître le mont de Vénus. Bouche à bouche de folie. Rien à faire. Elle est morte. Il prit une longue douche froide. Envie de chialer. C'est pas le renfort de Dieu qui changera quelque chose. Il téléphona de sa chambre chez la voisine de Cecilia mais ça ne répondait pas.

Au Lido, le petit déjeuner se prend sur la terrasse, au cinquième étage. La ville à perte de vue, les toits, moins lépreux que les façades, putain que cette ville a dû être belle ! La mer au loin, toujours splendide. Pas un *balsero* sur la crête des vagues. Accoudé à la rambarde, Gabriel vogue entre rire et larmes. Salma n'avait pas tenu ses promesses ; la Suédoise était du genre qui griffe, mord et strangule ; à côté d'elle, Éléonore était une rosière, pas sa tasse de thé. Le Poulpe s'était enfui de sa chambre en pleine nuit, prétextant une horrible migraine. Salma l'avait poursuivi dans le couloir en le traitant de « petit *fucking* gay ».

Rigole le Poulpe. Odalia disparue. Il sait qu'il ne la reverra pas. Pleure le Poulpe. Zigouigouis dans le cou. Une patte de poulet. Il se retourne. Simona. Elle a dû faire un saut chez un *babalao*. Méconnaissable. Jupe longue et paréo. Maquillée. Délicieusement rajeunie. Presque désirable.

— Ça fait plaisir de vous voir, Simone.

Il est on ne peut plus sincère.

— T'as l'air tout chose, mon chéri. Tu vas arrêter de me voussoyer, oui !

— Non, non, ça va.

— C'est la petiote, c'est ça ? Elle t'a plaqué…

— Ça va, j'te dis.

— On la fait pas à Simona, eh ! J'vois bien qu't'as pleuré, mon grand…

— Foutez-moi la paix si vous voulez qu'on déjeune ensemble. Odalia va bien. OK ?

— Bon, j'insiste pas.

Simone tient parole. En revanche, elle se lâche sur ses aventures. Elle a revu son musicien octogénaire, il vit sur le Malecon, il élève des poules et deux cochons sur sa terrasse, il cultive des tomates en hydroponique, comme Fidel. Il veut l'épouser. Elle est heureuse, Simona. Elle parle d'elle à la troisième personne, elle dit ça sort mieux comme ça je me sens moins conne. Gabriel sourit. Elle hésite, quand même. Elle ne s'est jamais mariée en France, c'est pas pour épouser un Cubain de trente ans son aîné ; d'un autre côté, c'est un copain de Compay Segundo, on doit pas s'ennuyer avec lui, et puis il est drôlement cultivé,

Ruben Gonzalez n'avait même pas de guitare chez lui, tu savais ça, toi ? Et puis son appartement a vue sur la mer, qu'est-ce que t'en penses, toi ? Bon, d'accord, y'a pas l'eau chaude, et les cochons, c'est pas mon truc, mais ça fait réfléchir ! Gabriel est sidéré. Il la trouve insupportable mais en même temps, ça fait si longtemps qu'il n'a pas rencontré quelqu'un d'aussi…

Il ne trouve pas ses mots.

– Qu'est-ce qui t'arrive, mon chéri ? On dirait que t'as vu Fidel !

Gabriel a le regard vague. Il se retourne pour essuyer une larme. Croise le regard d'une touriste hollandaise qui lui fait coucou de la main.

D'aussi *humain*, peut-être. Sans complexe.

– C'est rien, je… Il m'arrive des trucs pas possibles depuis quelques mois. J'ai perdu mon père spirituel. J'ai largué ma copine. Enfin, c'est plutôt l'inverse. Je me suis fâché avec mes meilleurs amis. On m'a payé le voyage à Cuba mais je ne sais même pas qui m'a invité… J'ai l'impression de tourner en bourrique, un truc de ouf va me tomber sur le coin de la tronche, je sens ça…

– Eh ben, dis donc, mon chou, t'as une vie agitée. Faut pas avoir peur des Turcs de ouf, tu sais. T'es encore jeune, t'es mignon, tu vas refaire ta vie…

Simona lui prend la joue, la caresse doucement. Sa main s'aventure le long de son bras. Ça le chatouille un peu mais il n'ose rien dire. Et elle se met à chanter en le couvant des yeux :

– Faut pas pleurer comme ça… Demain ou dans un mois, tu n'y penseras plus…

Gabriel éclate de rire.

– Je peux vous embrasser, Simona ?

– Mais bien sûr que tu peux, qu'il est bête !

Smacks-smacks. Applaudissements des Bataves qui se méprennent et croient qu'il s'agit d'un couple en réconciliation.

Le protocole du petit déjeuner est immuable. La serveuse arrive. Tout sourire. Tablier blanc sur jupon noir. Elle fait signer le papier sur lequel elle prend la commande. À Cuba, tout est dûment noté, copié, enregistré. Gabriel se demande où peuvent bien finir toutes ces fiches. Il imagine une armada de fonctionnaires épluchant des montagnes de papiers, dans la lumière déclinante d'un bâtiment tout droit sorti d'un roman de Kafka. Simone piaffe.

– Dites, madame, vous êtes obligée de noter tous les matins que je prends deux œufs, du jambon et un bol de lait chaud ? Il a peur des fuites dans le frigo ou quoi, Fidel ? Hier matin, j'ai demandé du rab de jus d'orange, elle m'a fait les gros yeux, on s'croirait dans un pays du tiers-monde !

Il a un peu honte pour sa voisine mais la serveuse rit aux éclats.

– Vous ne vous arrêtez donc jamais ?

– S'arrêter ? Mais on n'a qu'une vie, *amore* ! Qu'est-ce que tu fais aujourd'hui, tu revois la petite Odalia ?

Gabriel réprime un frisson.

– Je sais pas. J'ai peur qu'elle s'attache à moi.

– T'as peur qu'elle s'attache à ton pognon, tu veux dire ?

– Très drôle, Simone. Faut que j'aille à l'hôtel Carribean pour interroger ma boîte.

– Ben mon vieux, faut te déstresser ! T'es en voyage d'affaires ou quoi ?

– Ma sœur doit accoucher. Je voudrais savoir si ça s'est bien passé.

– Cool, tu vas être tonton… C'est pas à cinq minutes, quand même ! J'ai un service à te demander.

– Moi aussi, j'ai un service à te demander.

– J'ai un sac de fringues à porter chez une copine d'une copine, tu veux pas venir avec moi ?

– Je croyais qu'ils étaient à Trinidad, tes amis.

– Trinidad, c'est des médocs. Ma copine est au PC, elle connaît plein de monde à Cuba. Tu viens ?

– C'est parti.

Gabriel écope d'un bisou sur la joue. Il va pour parler, puis se ravise.

Trinidad.

Encore une coïncidence ?

*

L'amie de l'amie de Simona habitait à la lisière de Vieja Habana et de Centro Habana. La température avait un peu baissé par rapport à la veille, il faisait presque frisquet. Ils passèrent sous la porte chinoise, qui marque l'entrée du Barrio Chino, un modeste pâté de maisons qui n'avait d'asiatique que le nom.

– C'est ça, ton Barrio Chino ! s'exclama Simone. Mais y'a pas la queue de cheval d'un Chinetoque, ici !

– Un, c'est pas *mon* Barrio Chino. Deux, si t'es pas contente, tu portes !

Simone se fit toute petite. Nombreux étaient les passants qui se retournaient sur cette petite bonne femme drôlement attifée, qui ne ressemblait ni à une touriste ni à une Cubaine. Simone parlait à tout un chacun, dans un espagnol à couper au couteau, elle prenait les gens par le bras, avec un mélange de tendresse et de brusquerie, et éclatait de rire à tout bout de champ. Un excellent vaccin contre les *jineteros*, peu désireux d'aborder une femme aussi excentrique.

Arrivés à l'angle de Salud et San Nicolas, elle poussa un juron.

– Crotte ! *El papel !*

– Quoi, *el papel ?*

– Le papier ! *Con la dirección ! He olvidado el papel al hotel !*

– Ho ! Tu peux pas parler en français quand on est entre nous, Simona ?

Simone, confuse, se rongeait l'ongle du pouce.

– Me dispute pas, Gabilou !... Je sais que c'est calle Dragones, mais j'ai pas le numéro. Bon, qu'est-ce qu'on fait, on y retourne ?

– Sans moi, Simone. J'en ai ma claque des ginettes. Vas-y si tu veux, toi. Je t'attends.

– Ah non alors, tu vas pas faire ton macho ! J'suis crevée, moi…

Gabriel posa le sac et s'assit dessus.

– J'ai une idée.

– Tiens donc, ça faisait longtemps !

– Tu sais ce qu'on va faire ? On va faire une bourse aux vêtements. Vu le nombre de gens qu'ont rien à se mettre sur la couenne dans c'pays, ça va dépoter sec, moi j'te l'dis.

– Et ton amie ? C'est pas sympa pour elle !

– Bon… Eh ben, tant pis, décida Simone. Ah, crotte, je suis trop conne !

– Mais non, t'es pas conne, t'es juste un peu tapée !

Gabriel hérita d'une chiquenaude sur la nuque. Pile sur la cicatrice.

Et ce qui fut dit fut fait.

Ils se plantèrent au milieu de la rue et commencèrent la distribution. En quelques minutes, un attroupement se fit, le stock fut rapidement écoulé. Simone donnait les vêtements, avec un mot gentil pour chacun, elle allait du français à l'espagnol, avec un sourire béat d'icône évadée des pages d'un livre de catéchisme. De temps en temps, elle sortait une boîte de médicaments de son sac à malice. Elle était radieuse. Gabriel la regardait faire, attendri, bien obligé de reconnaître qu'il s'attachait à cette drôle de petite bonne femme. Une Cubaine qui avait hérité d'une magnifique robe de soirée noire déboucha une bouteille remplie d'un liquide verdâtre, de celles qu'on trouve dans les échoppes en pesos réservées aux Cubains, à côté des pizzas racornies, légumes secs, *yuccas*, ananas, goyaves et autres produits locaux.

– C'est quoi, ce truc ? se méfia Simone. De la bière ?

– *La chipa*, expliqua la femme. *Cerveza cubana*.

– Ça sent vaguement le houblon, en tout cas, commenta Gabriel en portant le verre à ses narines.

Simone colla ses lèvres sur son oreille et débita à quatre cents à l'heure.

– Moi, je goûte pas à ce truc, c'est un vrai tord-boyaux… Mon fiancé m'a expliqué que c'est bourré de plomb, ça bouche les artères et ça rend à moitié aveugle et impuissant… D'après les mauvaises langues, pour le faire fermenter, ils mettent de la fiente de poulet et des excréments de nourrisson. Tu fais c'que tu veux, mais moi, je touche pas à ça.

Gabriel avait du mal à se retenir de rire, pourtant il en mourait d'envie.

– Ça part d'un bon sentiment. On va la vexer…

– Bon, d'accord. Deuze… Au fait, c'était quoi, ton service ?

– Tu m'as bien dit que ton musicien élevait des poules ? Tu voudrais pas lui demander s'il pourrait m'en prêter une ?

– *Prêter* ? Pour quoi faire ?

– Non, rien, laisse tomber. De toute façon, j'y crois pas, à ces trucs…

– Tu m'intrigues, camarade. J'ai connu un type, à la Peste, il faisait des trucs louches avec des poules, complètement cinglé, le gugusse…

Gabriel porta à ses lèvres la bouteille de *chipa* que lui tendait la Cubaine.

Encore une fois, ce fut Simone qui lui sauva la mise.

– T'as vu, y'a un photographe, on va être célèbres !

Gabriel leva les yeux. Un homme était en train de les prendre en photo de l'autre côté de la rue. Un mitraillage en règle.

– Nom de Dieu ! Trotski !

– Quoi ?

– Le mec, là, le type qui prend la photo… C'est Trotski !

– Il a pas été assassiné, Trotski ? s'exclama Simone.

Gabriel lui mit la bouteille dans les mains.

– Attends-moi ici.

Il tenta de se frayer un passage dans la foule. Il eut beau jouer des coudes, rien n'y fit. L'homme s'était volatilisé. Quand il revint à son point de départ, quelques minutes plus tard, plus de Simone. Il la chercha des yeux dans la foule compacte. Disparue. Gabriel était en nage.

– Elle est partie dans un taxi américain, fit la Cubaine à la *chipa* en lui tendant sa bouteille. Une Chevrolet verte. *Por alli.*

Elle indiquait la direction du Vedado.

– Elle avait l'air consentante ? demanda Gabriel en français.

– Consentante ?

Le mot sur le bout de la langue, bête comme chou.

– Ah non, pas du tout contente, poursuivit la femme en se frappant le front. L'homme qui prenait des photos est monté aussi, elle lui a tapé dessus. *Quiere un paladar, señor ? Arroz frito con papas fritas. Tres dollares.*

– *No, gracias.*

Gabriel était dépité. Simone enlevée par Trotski, ça risquait de faire des étincelles. Il va tomber sur un os, le Léon ! À moins que la petite postière française ne fasse partie de la mise en scène qu'on lui servait depuis son arrivée ? Possible. Tout est possible dans ce pays, même ce qui ne devrait jamais arriver. De toute façon, il ne s'en faisait pas pour elle, elle avait de la ressource, la Simona... Il alla s'asseoir sur un banc, le long d'un enclos grillagé où des mômes jouaient au foot avec des boîtes de conserve. Les gens passaient devant lui sans lui prêter attention. Personne ne l'abordait. Aucun *jinetero*. Aucun mendiant. Personne pour lui demander si son Golden Virginia était *suave o fuerte*. C'était comme s'il n'existait pas. Alors qu'il venait de passer un quart d'heure à distribuer des vêtements à tout le quartier ! Quelque chose ne tournait pas rond... Il lui fallut du temps pour mettre le doigt dessus. Il regarda la bouteille de *chipa* dont il avait hérité. Porta le goulot à ses lèvres. Le breuvage était insipide mais il avait bu pire en Albanie. *Maintenant, t'es un peu cubain, Gabriel!* Il comprit à ce moment-là ce qui clochait. Un détail en apparence anodin. *Personne, depuis le matin, ne l'avait appelé Gabriel.* Il quitta son banc, sa canette à la main, se planta au milieu de la rue, bras croisés, et attendit. Rien. Quelque chose venait de changer pour lui sous le soleil de Cuba.

Il leva les yeux au ciel. *S'il y a quelqu'un là-haut, ce serait peut-être le moment de te manifester, bonhomme, parce que moi, je suis complètement paumé.* Une minute plus tard, un orage tropical éclata. Des trombes d'eau se déversèrent sur La Havane. Gabriel se signa. Il resta planté sous la pluie jusqu'à la fin de l'averse. À se demander s'ils n'en avaient pas profité pour lui greffer un cerveau annexe pendant son transit à l'aéroport.

16

Gabriel téléphona chez Nurys, la voisine de Cecilia. Cinq minutes plus tard, la voisine était de retour. Cecilia n'était pas chez elle, mais elle avait laissé un message. Odalia avait donné de ses nouvelles, elle était partie pour quelques jours en Oriente, elle n'en disait pas plus. Il se demanda s'il devait considérer cela comme une nouvelle rassurante ou un motif d'inquiétude. Il réalisa alors qu'il se trouvait tout près de la rue Concordia. Il arriva au pied de l'immeuble de Cecilia trempé comme une soupe. La pluie avait cessé. Un soleil timide se cassait le nez sur les nuages que l'orage n'avait pas tout à fait dissipés. Une dizaine de personnes étaient rassemblées dans l'entrée, au bas de l'escalier de pierre. Gabriel reconnut la femme qu'il venait d'avoir au téléphone. Il ne put s'empêcher de penser au chauffeur de taxi assassiné. La tension était palpable. L'irruption de Gabriel provoqua un flottement. Les conversations reprirent lorsque Nurys le reconnut.

– Qu'est-ce qui se passe ?
– C'est à cause de Kuka.

La voisine avait du mal à retrouver ses esprits. Elle avait les larmes aux yeux.

– Kuka… le perroquet ? Mais qu'est-ce qu'il a fait ?

– Il a… dit des choses qui n'ont pas plu au secrétaire du CDR. La police est venue la chercher.

Gabriel se gratta la nuque.

– Attendez, là… Vous voulez dire que Cecilia a été arrêtée à cause de son perroquet ?

Nurys hocha la tête et lui fit signe de parler moins fort.

– Mais pourquoi ne m'avez-vous rien dit tout à l'heure au téléphone ?

– Ce n'est pas prudent de parler au téléphone, *compañero*.

– Mais qu'est-ce qu'il a dit, ce foutu perroquet ?

Regard embarrassé de Nurys. Elle lui fit signe d'approcher et murmura :

– Il n'arrêtait pas de crier « Libérez Batista ! »

– Libérez Batista… Mais il est con, ce perroquet ! C'est pas Batista, c'est Battisti.

Nurys posa un index décidé sur sa bouche.

– Viens avec moi, Gabriel, ne restons pas ici, c'est dangereux.

Gabriel pensa à Balthazar. *Fermer la bouche, shit !* Où était-il passé lui aussi ? Il la suivit dans son appartement du rez-de-chaussée. Elle alluma la radio à fond et l'invita à s'asseoir sur un canapé envahi par des piles de livres et de linge en cours de repassage.

– Comment sais-tu ça ?

Il fixa la voisine. Devait-il lui dire la vérité ? Cecilia lui avait un peu parlé d'elle. D'après elle, elle était franc-maçonne, liée à la Santeria, et farouchement anticastriste. Trois gages de confiance.

– C'est moi qui lui ai dit ça. Je suis vraiment désolé.

– Mais qui es-tu, toi ?

– Un ami de Cecilia. Je… je ne sais pourquoi j'ai dit ça. Je ne savais même pas qui était ce Battisti, c'est vraiment absurde comme situation.

– Nous sommes à Cuba, tu sais. L'absurde est ici en son royaume.

– Vous pensez qu'ils vont la relâcher ? demanda Gabriel alors qu'elle préparait du café.

– Je ne sais pas. Ils ont emporté le perroquet avec Cecilia. Elle était folle de rage, elle avait peur qu'ils tuent son Kuka ! Tu te rends compte où en est arrivé ce pays ! Arrêter un perroquet ! *Que locura !*

– Mais qui a pu la dénoncer ?

– Quelqu'un du CDR. Ici, quand tu te mouches, une minute après, le CDR est au courant, et dans l'heure qui suit, ça remonte jusqu'aux narines de Fidel !

– Mais je ne comprends pas. Il n'a pas crié « à mort Castro », tout de même. Batista est mort, il ne va pas ressusciter pour reprendre le pouvoir !

– Qui sait ce qui peut arriver dans ce pays de fous… Tu ne peux pas comprendre, tu n'es pas né à Cuba… Nous sommes des survivants.

— Je peux vous demander un petit service, madame ?

— Tu peux, fit-elle en hochant la tête. Tu peux me tutoyer, aussi.

— Écoute, Nurys, je vais t'écrire mon adresse internet. Quand tu reverras Cecilia, tu veux bien la lui donner ? Discrètement, bien sûr.

— Je vais l'apprendre par cœur, je préfère. J'ai une mémoire d'éléphant. Mais quand est-ce qu'il va crever, ce putain de Fidel ! ajouta Nurys en levant le poing. Quand est-ce qu'il va perdre définitivement la mémoire ? Quand vont-ils nous laisser vivre en paix ? Pauvre Cecilia... Je ne peux pas m'empêcher de penser au jour où ils sont venus chercher sa machine à coudre. Et maintenant, son perroquet... Ô Fidel, comme je te hais ! Va-t-en, mais va-t-en ! Va au diable !

Nurys s'était mise à crier, balayant le sol de la main comme si elle voulait chasser un chien gâleux, on ne pouvait plus l'arrêter.

— Je téléphonerai dans l'après-midi pour avoir des nouvelles. Tu peux aussi me laisser des messages à l'hôtel Lido.

Lorsque Gabriel prit la cafetière pour servir le café, ses cris s'étaient apaisés. Elle baissa le volume de la radio.

— Bien, fit-elle en s'essuyant les yeux avec un mouchoir. Raconte-moi ta vie, toi ! Tu viens de Paris, à ce que m'a dit Cecilia. Depuis que je suis toute petite, je rêve d'aller en France, tu sais... Tout le monde ici rêve d'aller en France.

Le pays des droits de l'Homme, ajouta-t-elle en français.

– Pays des droits de l'Homme… Pays des droits du fric, ouais ! Tu veux que je te raconte *una chiste* française ?… Tous les hommes naissent libres et égaux, sauf certains qui sont un peu plus égaux que d'autres.

Gabriel toqua sa tasse de café contre celle de Nurys qui riait.

– *Salud, compañera ! Cuba libre !*

*

À midi, il était sur les marches du Capitole. Tout autour du monument, les vendeurs de cigare faisaient fureur. Petite conversation avec un jeune musicien cubain qui n'avait rien à vendre, juste envie de discuter avec un Français. Il attendit jusqu'à une heure, roulant cigarette sur cigarette. Petit coup d'œil dans le hall du Capitole. Un dollar pour admirer la monumentale statue symbolisant la République. Dans les guides, c'était gratuit. Il ressortit. Pas de Balthazar.

Nick Walker Bush traversa la place en direction du Prado. L'hôtel Carribean était désert. Le barman le reconnut. Gabriel commanda un Cuba libre et s'installa devant l'ordinateur. Pas de message sur movida26. Et merde ! Il avait oublié de donner son adresse à Francis ! Celui-ci avait dû lui répondre à celle de Salma. L'employé de la réception refusa de lui dire si une cliente au nom de

Salma Andersen était descendue à l'hôtel. Gabriel insista. Le type ne voulait rien savoir. Il sentit qu'il ne fallait pas trop le chatouiller et laissa tomber. Il réécrivit un message à Francis pour lui demander de réexpédier son courriel. Pas de réponse. Ça devait lui arriver de dormir de temps en temps. Il tapa l'adresse de Salma, écrivit :

Salma. Le petit fucking gay doit recevoir un message sur ta boîte de la part d'un certain Francis, tu te souviens... Peux-tu me le faire suivre, s'il te plaît ?

Il indiqua son adresse. Envoi. Il surfa un peu, en quête de renseignements sur Dantec et Battisti. Rien. Ni sur Google, ni sur Voila. Bizarre. Censure ? Gabriel ne connaissait pas assez les méandres du web pour en juger. Pas de parano, Gabi. Éléonore, peut-être ? Oui, il avait son adresse dans son calepin.

Elle est toujours à l'ouest, Éléonore ? Tu sais, je me sens un peu con depuis cette soirée au théâtre, j'espère que je t'ai pas trop pris la tête, que tu vas bien et qu'on pourra continuer à bai- ser ensemble à mon retour. (Il effaça « baiser ensemble » et remplaça par « parler de littérature érotique ».) *Il m'arrive de drôles de trucs ici, je te raconterai ça. Au fait, j'ai un petit renseignement à te demander : pourrais-tu me donner des nou- velles de Cesare Battisti et me dire qui est Dan- tec ? Avant de partir, j'ai lu un slogan « Libérez Battisti, enfermez Dantec », mais j'ignore qui sont ces gens et je voudrais pas mourir idiot.*

Beso (qui ne veut pas dire baisons en espagnol, pas de méprise, fillette). Gabriel.

Il rigola un bon coup. Envoi. Retour à la liste des messages reçus. Il avait un nouveau message de Caballero.

Pourquoi veux-tu libérer Batista, Gabriel ? Tu ne sais pas qu'il est mort ? De quel côté es-tu ? À quel jeu joues-tu ?

Il nota le passage au tutoiement. Ça ne rigolait plus du tout. Il entra l'adresse de Caballero, hésita un peu avant de taper ces mots :

Le perroquet de Cecilia, c'est vous ? Pourquoi vous en prenez-vous à elle ?

La réponse fut instantanée.

Quelle importance ! Tu pars demain à Trinidad. Prendre l'autocar à la gare Viazul, calle Zoologico. Départ à 7 heures 30. Si tu n'as pas les moyens d'aller à l'hôtel, prendre une chambre chez l'habitant. Tu les reconnais grâce au chevron bleu apposé sur la porte.

17

Gabriel remonta le Prado jusqu'au Malecon et alla s'asseoir sur la promenade ombragée du paseo. Fransisco Platet était mort. Odalia ne donnait pas signe de vie. Balthazar n'était pas venu au rendez-vous. Simone s'était volatilisée, peut-être victime d'un enlèvement. De même que Salma, dans une moindre mesure. Et maintenant Cecilia et son perroquet, embarqués par la police. Tous les Cubains qu'il avait rencontrés disparaissaient les uns après les autres. Ceux qui tiraient les ficelles étaient bien organisés. Ce n'était peut-être pas plus mal de partir pour Trinidad. Gabriel s'étira. Il avait envie de dormir. S'oublier. Il passa le doigt sur sa cicatrice. Un vieux Cubain passa, une canne à pêche à la main. Des gens pêchaient sur le Malecon ; il n'y avait pas si longtemps, on croupissait en prison pour moins que ça. Un type en salopette faisait les poubelles, un tuyau d'arrosage autour du cou. Une vieille dame indigne marchait à reculons, sur la pointe des pieds. Des mômes patinaient avec des diables trafiqués. D'autres essayaient d'attraper la branche d'un arbre en riant aux éclats. Sur le banc d'en face, deux *jineteras* asticotaient un touriste qui fumait le cigare. Un gosse de huit, neuf ans qui jouait avec un bâton s'arrêta près de lui, juste pour lui dire « hola », avec un sourire malicieux. Gabriel s'était assoupi. Quand il se réveilla, un passant facétieux l'avait coiffé d'une cocotte en papier confectionnée avec un vieux numéro de *Granma*.

Un groupe de trois Cubains s'était arrêté devant lui pour discuter, deux jeunes métis et un Blanc beaucoup plus âgé. Le vieux le regardait avec insistance. Il se disputait avec les deux jeunes qui voulaient partir. Gabriel lui fit un signe de la main. L'homme s'approcha. Que risquait-il à tenter quelque chose ? Au point où il en était. Le type envoya balader ses copains et prit place à côté de lui. C'était un homme d'une cinquantaine d'années, avec un faux air de Clark Gable. Un bel homme avec de belles rides. Il pointa le doigt vers lui, sa main tremblait un peu. « *Tu abuela… Tu abuela es enferma*[1]. »

Gabriel leva la tête, interloqué. Probable qu'il voulait des dollars pour sa grand-mère malade.

— *Tu abuela ?* Vous voulez de l'argent ?

— *No.* Tu *abuela. Tu abuela es enferma.*

— Ça, ça m'étonnerait. Ça fait une paie que *mi abuela* est morte.

— *Cuando tu abuela es enferma*, reprit-il en pointant le doigt sur son cœur. *Esta muy mal.*

---

1 Ta grand-mère… Ta grand-mère est malade.

— Elle est morte, je te dis, poursuivit Gabriel en espagnol.

— Ta grand-mère est morte, mais ton grand-père ?

Le mec avait de la suite dans les idées. Gabriel commençait à comprendre pourquoi ses copains n'avaient pas insisté pour le garder avec eux.

— Il est mort aussi. Et mon père aussi est mort.

— Oui, je sais. C'était un homme à poigne… Quand tu étais petit, tu adorais grimper aux arbres. Lui ne voulait pas. Tu as fait une chute grave à l'âge de cinq ans, il était très mécontent.

De la suite dans les idées et réponse à tout. Gabriel éclata de rire. L'homme parlait lentement, il cherchait ses mots, se reprenait, revenait en arrière.

— Impossible, je m'en souviendrais.

— Oui, mais cette chute t'a fait perdre la mémoire. Tu fais de très belles cocottes en papier, ajouta-t-il en coiffant *Granma*.

— C'est pas à moi, je l'ai trouvée.

— Tu vois, tu perds la mémoire. Je t'ai vu la faire tout à l'heure… Tu es catholique, Gabriel ?

— Tu m'as appelé Gabriel ?

— Oui, tu es catholique, tu as une tête de bon catholique. J'ai serré la main du pape, tu sais. Il m'a pris dans ses bras. Je suçais mon pouce quand il me serrait dans ses bras, j'étais comme un petit bébé…

— Attends, là, tu m'as bien appelé Gabriel ?

— Tu ne t'appelles pas Gabriel ?

– Si, mais…

– C'est donc normal que je t'appelle Gabriel, non ?

– Oui, c'est normal, mais…

Vraiment déconcertant. Gabriel décida de le laisser parler.

– Mes parents étaient à Miami. Je leur ai envoyé une photo de moi avec le pape, ils étaient contents… Lilia prend la photo, on a tiré au sort pour savoir qui prend la photo… Le pape lui sourit, elle pleure de joie… Mes parents ont quitté Cuba il y a dix ans, ils sont partis avec les *marielitos* de l'ambassade du Pérou. Ils m'envoient cinquante dollars tous les trois mois. Mon père a une maladie du cœur, il peut pas venir me voir, seule ma mère vient à Cuba.

– Et toi, tu es resté ? demanda Gabriel.

– Oui, je suis resté. Je reste pour garder la maison, j'ai reçu des œufs et de la farine le jour de la répudiation. Mais Angel est fort. C'est une grande maison, tu sais. Je suis amoureux, *una chica* qui vit sur le Malecon, elle ne m'aime pas, pourtant elle aimerait bien vivre dans ma maison. Je vais t'écrire mon adresse, je m'appelle Angel, téléphone-moi demain, je te donnerai une statuette représentant un enfant pour que tu l'offres à ta mère…

– Ma mère est morte aussi, précisa Gabriel, décontenancé.

– Comme c'est triste, mon ami. Je vais t'écrire un poème pour que tu l'offres à ta mère…

– Mais puisque je te dis qu'elle est morte !

– Alors tu le donneras à ton autre mère, Gabriel. Tu lui donneras avec la statue.

– Mon *autre* mère ?

L'homme ne l'écoutait plus. Il sortit un carnet de sa poche et commença à écrire. Il s'appliquait, tirant la langue entre ses dents comme un mouflet. Ce type vivait dans une grande solitude, un total abandon, il était un peu fou, inutile de le contrarier. Tout le monde l'avait oublié.

– Je m'excuse pour les fautes d'orthographe, pour un Cubain ce n'est pas bien. C'est très mal, Fidel ne va pas être content.

– Comment sais-tu que je m'appelle Gabriel ? insista Gabriel.

– C'est Fidel qui me l'a dit, répondit-il en arrachant la page du carnet avec le poème.

– Tu connais Fidel ?

– Fidel est très malade, tu sais. Il perd la mémoire. Il retombe en enfance. Il m'a dit de te dire qu'il comptait sur toi…

– Sur moi ! Tiens donc…

– Tu lui feras lire le poème que j'ai écrit pour ta maman.

Gabriel tenta une ouverture :

– Tu crois vraiment que je vais rencontrer Fidel ?

– Fidel est déjà en toi, *amigo*. Il aime les belles poésies, tu sais. Je m'appelle Angel, comme le papa de Fidel.

Gabriel n'arrivait plus à se sortir des griffes de l'énergumène, au demeurant sympathique. Il essaya plusieurs fois de se lever mais Angel le retint par le bras. Il avait l'impression d'être son seul ami. Sauf qu'aucun dialogue n'était possible avec lui. On tournait en rond. Il commença à lui lire son poème. *Madre, hoy le oyo estas palabras estando sentado en un parque con su hijo, estimada madre cuanto no quisiero ya tener…* Ça ne voulait strictement rien dire, et pourtant…

Angel ouvrit la main droite et énuméra cinq lettres sur ses doigts, en fixant Gabriel de ses grands yeux bleus. Un regard intense et pénétrant, un peu effrayant. Gabriel prit peur.

– Je ne connais pas l'orthographe mais je connais l'alphabet sur le bout des doigts. *Da me un F, da me un I, da me un D, da me un E, da me un L… Da me un FIDEL !*

Il referma ses doigts un à un, les rouvrit brusquement, agita les mains, tel un magicien qui transforme le mouchoir en colombe. Il éclata de rire.

– *No mas Fidel ! Hasta luego, Gabriel, no olvide telefonar*, ajouta-t-il en serrant longuement la main de Gabriel.

Le mystérieux inconnu disparut aussi vite qu'il était apparu. Gabriel Lecouvreur plia la feuille de papier et la rangea dans sa poche. Tous les gens dont il prenait l'adresse disparaissaient. Que faire ? Qui était cet homme ? Faisait-il partie de la valse d'ombres qui s'agitaient autour de lui depuis qu'il était à Cuba ? Un simple Cubain de passage, un peu plus abîmé que les autres ? Existait-il réellement ? La seule façon de le savoir, c'était de le suivre. Il coiffa la cocotte en papier *Granma*, déploya ses longs bras de Poulpe et se leva. Ritournelle d'acouphènes dans sa tête. Bruits de papiers froissés, cris d'enfants en route pour l'école.

Granma, grand-mère, *abuela*…

Il eut à cet instant la certitude qu'il était en train de devenir *loco* lui aussi.

Et ça ne lui faisait même pas peur.

18

La gare routière de la calle Zoologico est une ruche. L'échange réservations-billets prend un temps fou car l'employée patauge un peu. Tout est recopié trois fois, annoté, tamponné, archivé. Dans la salle d'attente délicieusement kitsch, Gabriel s'abîme dans la grande carte de l'île avec les itinéraires qui clignotent, comme dans les vieux films de guerre. Gabriel n'est pas fâché de quitter La Havane, il en marre de toutes ces rencontres impromptues qui débouchent sur des malentendus, toutes ces disparitions, toute cette inquiétude. Pas de nouvelles d'Odalia. Pas de nouvelles de Balthazar. Pas de nouvelles de Cecilia. Tout ce qu'il touche, il le détruit. Qui peut bien être le mystérieux Caballero ? Où est passée Simona ? Que va-t-il apprendre à Trinidad ? Finalement, il n'a pas suivi Angel la veille. Si ça pouvait lui sauver la vie... Il a passé l'après-midi dans le Vedado. Quartier résidentiel de la capitale, un cran au-dessous de Miramar, mais tout de même un autre monde. Ici, plus d'immeubles baroques décrépits, mais de larges avenues, contre-allées plantées d'arbres, villas modernes alternant avec les maisons coloniales, magnifiques, souvent décaties. Pas beaucoup de mezzanines par ici, les immeubles sont restés debout. La gigantesque place de la Révolution, vide et froide. Longtemps que le pouls de Fidel ne bat plus ici. Le cimetière Colón. Un vigile lui demande s'il n'aurait pas un pantalon à lui donner. Gabriel lui abandonne quelques dollars en échange d'une visite guidée de la nécropole. Julios lui indique en douce la tombe du général Arnaldo Ochoa, longtemps anonyme, le carré vaudou des Abakua. Il joue aux dominos avec un vieux fumeur de cigare cloué sur un banc. Ils ne parlent pas. Il remonte la calle 23, la Rampa. Rien à voir avec la majesté du Prado. Che Guevara monte la garde à l'angle de l'avenida de los Presidentes. Christ cubain. Gabriel cherche en vain une prière. Le Che s'en fout, les Cubains arrêtés au feu rouge aussi. Il remonte jusqu'au Yara. *Le Seigneur des anneaux* est à l'affiche. Station de coco-taxis. Le client se fait rare. Un couple d'homosexuels s'embrasse sur un banc dans le parc de Coppelia. Il fait la queue avec les Cubains, achète une glace qu'il donne à un gamin. Il fait un saut à l'hôtel Habana Libre, de l'autre côté de la rue L. Séance web au cybercafé de l'hôtel. Boîte aux lettres muette. *Nada nada nada*. Il n'envoie aucun message. Caballero se tait. Il sait qu'il n'est pas bien loin. Peut-être cet homme au chapeau en train de regarder l'exposition de photos à la gloire de la Révolution, à l'entresol. Dire que Pedro est venu ici avec Sartre et Beauvoir, ça lui scie le cul. Il retourne chez les coco-taxis, bavarde avec les gars, moyenne d'âge vingt ans, un demi-dollar le kilomètre, remonte le Malecon jusqu'au Prado, se saoule d'air et de lumière, revient à son point de départ. Il achète un billet de car pour Trinidad au guichet Transtur d'un grand hôtel. Le soir, il dînera pour six dollars à La Roca, un restaurant de la calle 21 qui ne figure pas dans les guides, avec un vieux pianiste sapé comme un crooner. Il ira s'enivrer avec deux *jineteras* dans un bar où joue un orchestre de *salsa*. Il ne sait plus où il a dormi. Il ne se souvient même pas s'il a couché. Il se souvient juste qu'il s'est réveillé dans une piaule miteuse et que les filles avaient disparu en lui laissant un petit mot sur un papier coincé sous le bol où brûlait un papier d'Arménie. *Muchas gracias, Walker Bush.* Elles ne lui ont rien volé, n'ont pas touché à son sac à dos, il est heureux comme ça.

Gabriel s'installe au fond du car Viazul. Odeur tenace des chiottes chimiques. À côté de lui, une touriste suisse qui voyage en solitaire pour deux mois à Cuba. Elle lui raconte sa vie, il fait semblant de l'écouter. Elle a voulu être religieuse autrefois, elle a renoncé à ses vœux après avoir rencontré un homme qui l'a mise enceinte. Gabriel s'endort au bout de vingt minutes. Quand il se réveille, le véhicule longe la mer. Le soleil éclabousse l'eau. L'Helvète n'est plus là, elle est descendue à Cienfuegos. Il se plonge dans le

Guide du routard, histoire de passer le temps et d'éviter de penser à ce qui lui arrive.

À la gare routière, une nuée de porteurs armés de diables proposent leurs services, des enfants mendient, des femmes proposent des chambres à louer chez l'habitant. Il se laisse guider par un gamin qui l'emmène dans une maison coloniale, calle Franck País. Ses hôtes s'appellent Ernesto et Hortensia. Gabriel se dit que ces gens sont exquis, mais tous les Cubains ne sont-ils pas exquis ? Oui, mais ceux-là le sont encore plus. Chez eux, on se sent tout de suite en famille. Il écoute ce couple qui le dorlote comme un cousin retrouvé après des années d'absence. Il aurait aimé les avoir pour parents adoptifs. Hortensia est prof de maths, Ernesto enseigne l'histoire. C'est une petite femme ronde aux yeux débordant de vie. Lui, un grand gaillard trapu, débardeur, la cinquantaine. Les plus belles moustaches et les plus beaux yeux de Trinidad. Hortensia lui rappelle tata Marie-Claude. Ernesto papouille un bébé joufflu, captivé par Johnny, le chien érotomane, très attiré par Mary, la chatte siamoise, dont les yeux pleurent d'avoir été aspergée par une sale grenouille probablement contre-révolutionnaire jusqu'à la raie des cuisses.

Gabriel prend une douche et s'endort dans un grand lit frais.

19

Après la sieste, il traîne en ville. Trinidad est une ville adorable, beaucoup plus tranquille que La Havane. La misère ici semble plus facile à vivre. Les maisons coloniales ont gardé leurs couleurs. Les mezzanines n'ont pas sapé les fondations. Les *jineteros* semblent avoir pris des vacances. Depuis qu'il est arrivé, il a pris des couleurs. Il a troqué son baggy de touriste pour un pantalon de toile à poches et une *guayabera*; n'était cet accent français à couper au couteau, il passerait pour un Cubain. Il tourne, tourne, il aime cette ville. Il croise des hommes à cheval, des tracteurs poussifs, des cyclistes par dizaines, des hommes à mobylette, traînant dans des remorques d'immenses gâteaux roses et blancs qui raflent la poussière de la rue. Le cybercafé de la calle Jose Marti fait partie des lieux de rendez-vous. L'endroit est vaste. Les bécanes tournent à plein régime. À Cuba, Internet pallie au courrier chaotique, à l'indigence d'une presse aux ordres du régime, à la toute-puissance des CDR. Pourvu qu'on ait les dollars pour payer. Une adresse web en bonne et due forme. Et l'autorisation des autorités. Big Brother Fidel ne laisse rien passer. Il attend un quart d'heure avant de se caler derrière un écran, tout en dévorant un sandwich *pollo-queso*. Trois messages l'attendent. Les affaires reprennent. Le premier provient de Caballero.

Vous avez bien fait de venir vous reposer à Trinidad, Gabriel. L'air y est plus sain qu'à La Havane. Restez en contact.

Il répond aussitôt.

Qui êtes-vous ? Que me voulez-vous ?

La réponse ne se fait pas attendre.

Nous nous rencontrerons bientôt, ne soyez pas impatient.

Le second message, transmis *via* la boîte à lettres de Salma, est de Francis. Celui-là, il n'y croyait plus. Pas rancunière, la Suédoise. Gabriel trépigne. Il semblerait que Caballero lâche du lest.

Je sais pas ce qui se passe avec ton adresse, Gab, ça plante à mort, j'espère que tu finiras par avoir mon mail. Alors voilà… Caballero, j'ai rien trouvé, à part que c'est le nom de l'actuel ambassadeur cubain en France. Dantec, maintenant. Depuis quand t'es pas entré dans une librairie, mec… Auteur de cyberpolars français expatrié au Canada (il a fait de son « exil » tout un pataquès). Génial mais brouillon, grassement mensualisé par Gallimuche, ce garçon a des idées pas piquées des bits. Je t'ai fait un petit best of. Il prétend, en vrac, que Pie XII a été plutôt sympa avec les juifs pendant la guerre, que les « tour-

nantes » dans les cités de banlieues ne sont ni plus ni moins que des « centres de viols » de guerre civile analogues à ceux que les extermina-teurs serbo-communistes mirent en place en Bos-nie-Herzégovine. Il dit qu'il ne croit pas aux gens, qu'il préfère les machines, les manipula-tions transgéniques dans la littérature. Bref, il raconte tout et n'importe quoi, une maille à l'en-droit, une maille à l'envers, sous prétexte de lais-ser venir toutes les contradictions qui peuvent germer en lui. Au final, il considère son travail comme un laboratoire où ça va se dissoudre en permanence. Il se fait le chantre de la schizo-phrénie littéraire (probable que s'il avait une vague idée de ce que cette maladie fait endurer comme souffrance, il éviterait d'utiliser ce mot à tort et à travers). Bref, ce type est un dangereux illuminé qui a loupé sa vocation de gourou. Il y a même un journaliste des Inrocks qui l'a sur-nommé Maurice Gugusse Dantec. Récemment, il s'est acoquiné avec les nœuds-nœuds fascistoïdes qui ont voulu buter Chirac, dont il partage le goût pour la suprématie chrétienne sur l'islam (à la différence du pleutre Houellebecq, il a au moins le mérite d'assumer ses opinions). Grand défenseur des USA et d'Israël. Cerise sur le gâteux : pour lui, Le Pen est un gauchiste ! Depuis, il pleure sur le web parce qu'il est atta-qué par l'intellocratie parisienne. J'arrête là, ça me gonfle... Dis donc, mon grand, pourquoi tu me demandes tout ça ? Tu fais quoi au juste à

Cuba ? Tu travailles pour le Nouvel Idiot international ? Je t'embrasse. N'oublie pas de me rapporter quelques cigares et une bouteille de rhum. À tchao-bientôt. Francis. (Et ta Suédoise, c'est le grand amour ?)

Bon, eh bien, maintenant il sait pourquoi certains veulent l'enfermer, celui-là. Il met le message à la poubelle et envoie un AR à Francis, ainsi qu'un coucourriel à Selma. Au moment de se déconnecter, il retourne sur sa boîte de réception. Miracle, un troisième message clignote.

Odalia !

Mi amor, je suis désolé pour tout. J'ai dû partir à Santiago de toute urgence. Je rentre dans deux jours à La Havane par le train. Ma cousine m'a dit que Cecilia avait eu des problèmes à cause de son perroquet. Elle est sortie de prison ce matin. J'espère que nous nous reverrons bientôt et que tu pourras m'emmener en France. No soy tu jinetera, soy tu amor ! Odalia.

Le Poulpe tremble de tous ses tentacules en refermant la fenêtre.

Il répond illico.

Je suis à Trinidad. Tu m'as fait très peur. Tu peux me joindre au numéro suivant le soir : 419.21.67. Je consulte ma boîte à lettres deux fois par jour aussi. Je rentre à La Havane après-demain pour te retrouver.

En sortant, il achète une carte postale pour Gérard et Maria. Il écrit ces quelques mots. Il est à l'ouest le Poulpe. Et vous embrasse.

Le soir, il dîne avec Ernesto et Hortensia, sous la tonnelle. Six dollars le repas. Gabriel s'empiffre. Hortensia est un cordon bleu. Elle roucoule son amour de la France. La cuisine française. Le cinéma français. La tour Eiffel française. La mode française. La Révolution française. Celle d'ici, elle n'en parle pas. Gabriel risque quelques plaisanteries sur Fidel, mais le sujet ne tente pas ses hôtes. Ernesto préfère lui apprendre les secrets du *mojito*. Si ça continue comme ça, il va demander l'asile à Trinidad. Ces gens-là sont des crèmes d'humain. Après la *cena*, Ernesto l'accompagne sur les marches à côté de la cathédrale. Musica à gogo. Ce n'est pas la saison touristique mais il y a toujours un orchestre qui joue. Gabriel s'essaie à la *cachancharra*, un cocktail local réputé. Trop sirupeux à son goût. Il préfère la jouer classique. *Mojito*, *mojito*, *mojito*. Ici aussi, les filles sont belles. Ernesto le laisse avec deux ginettes pas farouches. Gabriel a décidé d'être sage. Dans la brume du *ron*, il tombe soudain en arrêt. De l'autre côté de la buvette, un photographe a planté son trépied.

— Merde ! Trotski…

Gabriel se lève, court vers lui, l'haleine chargée de rhum, l'attrape par l'épaule…

— Je t'ai retrouvé, espèce d'enfoiré… Pourquoi tu me suis partout ?

L'homme se retourne.

— *Que te pasa, borracho !*

Ce n'est pas Trostki ! Gabriel n'a pas le temps de réaliser sa méprise que le Cubain l'envoie au tapis d'une manchette sur la nuque.

Rideau.

20

Gabriel Lecouvreur cligne des paupières. Dormir. Il voudrait dormir. Rien à faire. Une lumière à cent mille watts l'éblouit. Insupportable. Fermer les paupières ne sert à rien. La lumière est trop forte. C'est comme si on lui avait branché un projecteur sous les paupières. Depuis combien de temps est-il ici ? Trois, quatre heures ? Depuis combien de temps dure ce manège ? Il est tellement fatigué qu'il vaudrait mieux compter en jours... Où est-il ? *Réfléchis un peu, Gabriel...* Réfléchir, il ne fait que ça. Il n'a pas envie. Il voudrait dormir. DORMIR. Gabriel hurle. JE VEUX DORMIR ÉTEIGNEZ CETTE PUTAIN DE LUMIÈRE ! *Ça ne sert à rien de crier, vieux, personne ne t'entend, t'as pas encore compris ça ?* Il réfléchit, pourtant. Il n'a plus la force. Essaie de se souvenir comment il est arrivé là. *Là ?* C'est quoi, *là* ? Où suis-je ? *Réfléchis un peu, mec. T'as lu les journaux, non ?* Alors il réfléchit, Gabriel. Tant qu'il en a encore la force. Tant qu'ils ne lui ont pas encore vidé le cerveau. Puisqu'il ne peut pas dormir, il va réfléchir. RÉFLÉCHIR. *La luz la luz la luz...* Réfléchir la lumière. Il n'y a que ça. Il essaie de changer de position. Sur le ventre, ça ne change rien. La lumière est irréductible. Coup d'œil circulaire. Il est enfermé dans un réduit, allongé sur une planche, il a mal au dos mais ce n'est rien en comparaison de ces feux d'Hiroshima qui lui brûlent les yeux. Ses paupières ne sont plus étanches. Il est enfermé, oui. Une cellule. *Dans ma cellule cubaine…* Il sait où il est, pardi. Un prénom marial. Marista. La villa Marista. L'ancien couvent recyclé en centre d'interrogatoire pour les contre-révolutionnaires. Il se souvient des articles dans les journaux. Il y est ! La villa Marista. Tous les prisonniers politiques cubains sont passés par là avant d'avouer leurs fautes. Avant… d'*inventer* leurs fautes. C'est comme ça qu'on obtient les aveux dans ce pays de cocagne. Il pense aux autres… Ceux d'avant. Le poète Leonardo Padura qui se prosternera devant ses bourreaux. Le syndicaliste Rafael Gutiérez qui résistera à la torture psychologique. Ceux d'aujourd'hui. Les Raúl Rivero. Les Manuel Vázquez Portal. Les Hector Palacios. Les soixante-treize autres accusés des procès de mars 2003. Chaque État policier a ses propres méthodes pour extorquer les aveux sous la torture. Les Français de Massu utilisaient la gégène. Les Soviétiques avaient recours à la couverture mouillée asphyxiante. Les Chinois raffolaient des auguilles sous les ongles. Les Argentins du général Videla pulvérisaient les rotules des détenus à la perceuse électrique. Les Turcs laissaient les Kurdes mariner dans des baignoires remplies d'excréments pendant des jours entiers. Les Américains laissent les présumés talibans crever en plein cagnard, le soleil impitoyable de Guantanamo. Les Cubains, eux, utilisent la psychologie. Pas de trace physique. Oh, mon Dieu… *C'était donc ça? C'est pour ça qu'on l'a fait venir à Cuba?* Il a envie de vomir. Mais voilà que tout à coup, un bruit de porte… Une voix grave martèle…

— Tu veux dormir, enculé?

— Oui, s'il vous plaît…

Gabriel lève les yeux mais il ne voit rien d'autre qu'un océan de lumière qui lui brûle les yeux. Il distingue juste une forme vaguement humaine penchée au-dessus de lui. Pauvre petit corps sans importance, qui ne vit que par ces yeux qui se consument en mille brasiers.

— Alors réponds à ma question, et j'éteindrai cette putain de lumière. Pourquoi veux-tu libérer Batista?

— Battisti, pas Batista.

— *Quien es Battisti, hijo de puta?* ajoute une autre voix. *Habla.*

Gabriel met la main devant ses yeux.

— Ça ne sert à rien de fermer les yeux, sale petite fils de pute impérialiste!

— Non, non, pitié! Arrêtez la lumière, je vous en supplie. Je vais tout vous dire… Je ne connais pas Battisti, je sais juste qu'il a fait de la taule en Italie jadis et que la Berlusconie a demandé son extradition…

— La Berlusconie?

— Tu aimes bien faire le clown, *compañero*, on dirait.

Les deux types rigolent, il a l'impression qu'ils se nourrissent de sa souffrance. Il faut arrêter tout ça…

ARRÊTEZ, JE VAIS TOUT VOUS DIRE !

— Qu'est-ce que c'est qu'ce délire, mon chou ! Ça fait dix minutes que les nuages ont kidnappé le soleil ! Qu'est-ce que tu vas dire ?

Gabriel se retourne sur le dos. Il ouvre les yeux en grand. Une silhouette lui cache le soleil. Il n'arrive pas à y croire, encore une feinte. Un coup de gong lui explose la tête. Il passe un doigt derrière sa nuque, à l'endroit où… Il se redresse, cligne des yeux, miracle, il fait noir, ils ont arrêté cette putain de lampe. Et il la voit… *Simona*. Ainsi donc, il avait raison, elle faisait bien partie du complot…

— Simona… Qu'est-ce que vous faites ici ? Où je suis ?…

— T'es sur la plage de Trinidad, mon chou ! Je savais bien qu'on se retrouverait.

Gabriel cligne des paupières, lève la tête, ça fonctionne, on dirait. Les transats sous les palmiers, le ciel bleu qui chasse les nuages, les rouleaux des vagues, le marchand ambulant de pizza qui arpente la plage. Il pousse un cri. Il se souvient. Le coup de boule du photographe sur les marches de la cathédrale. La plongée dans le noir. Ernesto et le géant mulâtre l'aident à se relever, le raccompagnent à la maison, calle Franck País.

Ernesto les abandonne en chemin pour faire sa tournée d'inspection... Entre deux hoquets, Gabriel fait le mariole. «Pourquoi, tu fais des heures sup' dans la milice?» Ernesto rigole, pointe son œil madré du bout de l'index. Gabriel regarde le ciel étoilé. Quand le sage montre le doigt, le mec bourré regarde la lune. *CDR... Mirar... Miro, cuando hay un problemo, telefono* [1]... Ah oui, c'est vrai, on est à Cuba, même les gens exquis comme Ernesto sont obligés de pointer à la grande tripatouille du CDR s'ils veulent continuer à arrondir les fins de mois en louant leurs chambres d'hôtes aux touristes...

La biture du siècle. Gabriel a pris la biture du siècle. *Cachancharra, mojito, cerveza, ron,* whisky. Le géant mulâtre était imbattable, fallait pas le suivre sur ce terrain... Il a dormi jusqu'à midi. Il s'est douché à l'eau froide. Il a quitté la maison par la fenêtre tellement il avait peur de déranger Hortensia et Ernesto. La honte. Il a pris un coco-taxi pour aller à la plage. *Playa Ancon*, à une dizaine de kilomètres de la ville. Le soleil darde doucement. Il se la coule douce sous un parasol à un dollar de l'hôtel Ancon. Premier bain d'hiver sous les tropiques. L'eau est chaude. Gabriel trempe un orteil et revient s'allonger sur sa serviette, après avoir placé un caillou à chaque

---

1 Regarder. Je regarde, et si jamais il y a un problème, je téléphone.

coin au cas où un ouragan viendrait foutre le bordel, réflexe hérité de tata Marie-Claude. Bras en croix. Douleur derrière l'oreille. Récital d'acouphènes. Un choc brutal, comme si quelqu'un venait de le frapper. Il s'écroule. Non, ça, c'était la veille sur les marches de la cathédrale…

Gabriel regarde Simone. Maillot une pièce à fleurs. Chapeau en osier. Mordillant ses lunettes de soleil. Merveilleuse Simona qui lui sauve encore la vie ! Dire qu'il était prêt à l'accuser des pires maux.

— Putain, j'ai fait un de ces rêves ! J'étais à la villa Marista, je…

— Y'avait de belles gonzesses dans ta villa ? Raconte !

Il se retient de rire et de pleurer en même temps. Il a envie de pisser mais il ne peut pas se lever d'un coup, il lui faut quelques minutes pour reprendre ses esprits.

— La villa Marista, Simone, arrête tes conneries, tu veux ? Un putain de cauchemar, ouais… Qu'est-ce qui t'est arrivé, ma Simone ? Je me faisais un sang d'encre.

— Un sang d'encre ? Eh ben, on dirait pas ! Ça t'empêche pas de prendre du bon temps, mon salaud… Remarque, j'te comprends, on n'a qu'une vie.

— Qu'est-ce qui t'est arrivé ? La femme m'a parlé d'un taxi…

— Parfaitement. Et tu sais qui y'avait dans c'taxi ?

— Comment veux-tu que je sache ?

— Dis donc, t'as pas l'air de bon poil.

— Je viens de rêver que la police me torturait, baltringue...

— Baltringue toi-même ! T'as des nouvelles de la petite putain ?

— Ho, Simone ! C'est les circonstances qui l'ont faite putain ! Qu'est-ce tu fous là ? Tu m'espionnes ou quoi ?

— Ça se confirme, il est pas de bon poil, répond Simone en se retournant.

— Mais à qui elle parle ?

Simone remet ses lunettes de soleil sur son joli petit nez.

— Je te présente Rodrigo Casates, l'amour de ma vie. Gabriel Walker Bush, un copain d'enfance.

Gabriel se dresse sur son coude. Un géant se tient derrière elle. Costume léger de flanelle, casquette de golf, cigarillo aux lèvres. Bel octogénaire, teint cuivré de sang-mêlé. La classe des îles.

— Enchanté. Si... Simone m'a beaucoup parlé de vous.

— Réciproquement. Nous nous sommes croisés sur le Malecon.

Gabriel se met debout. Rodrigo lui broie les phalanges. Quatre-vingts ans et une force de cheval.

— Voilà c'qu'il y avait dans le taxi, mon chéri ! Mon chéri d'amour en personne qui s'inquiétait pour sa Simona !

— Mais pourquoi tu m'as pas attendu, merde !

— Oh-la, mais c'est qu'il serait jaloux ! Tu vas pas me faire une scène de ménage…

— Tout cela est un peu de ma faute, intervient Rodrigo. Je lui ai dit que si elle voulait partir avec moi, il fallait qu'elle monte dans ce taxi, je ne pouvais pas attendre. Je ne savais pas que vous étiez avec elle…

— C'est le coup de foudre, si je comprends bien.

— Simona me plaît beaucoup, oui. Je vais l'épouser.

— Je suis désolée, mon biquet. Allez, fais pas cette tête, on n'est pas venus sans biscuit… On a une surprise pour toi, Gabriel.

— Une surprise ! Encore une ! Chaque minute qui passe avec vous est une surprise à elle toute seule, ma chère…

21

La surprise était sagement tapie dans un cageot, dans le coffre de la voiture de Rodrigo Casates. Une Chevrolet rose bonbon briquée comme un sou neuf.

— Un coq ! Mais qu'est-ce que...

Noir, le coq. Les ergots affûtés, bagouzés. La crête rouge, magnifique.

— Tu m'as bien dit que tu cherchais à acheter un coq, non ?

— Oui, mais... Vous n'êtes quand même pas venu de La Havane avec cette bestiole ?

Rodrigo éclate de rire.

— Rassure-toi, Gabriel, je l'ai acheté à Trinidad ce matin. C'est un coq de combat, il est très bien élevé et ne lâche pas sa fiente à tour de cloaque, il y a beaucoup de combats de coqs à Cuba... Il sera parfait pour ce que tu veux faire...

— Rodrigo connaît un *babalao* super balèze à Regla. Il va t'emmener. Bon, on y va, Titi ?

— Maintenant ? Mais la prêtresse m'a dit de le garder huit jours !

— On va pas à La Havane, qu'il est bête ! On va faire la fête chez sa cousine Norma. Rodrigo va faire un bœuf avec ses potes octogénaires, on va danser toute la nuit, ça va être génial…

– Tu aimes la *salsa*, Gabriel ?

– Ouais, mais j'suis un peu crevé. Comment m'avez-vous retrouvé ?

– Nous avons croisé Hortensia et Ernesto chez mon ami Neyses. Ils nous ont parlé d'un touriste français qui avait disparu. C'est aussi simple que ça.

– Des mecs qui s'appellent Walker Bush, y'en a pas des tonnes, ricane Simone.

Une demi-heure plus tard, le trio est de retour à Trinidad. Rodrigo a laissé le volant à Simone. La petite postière est fière comme Artaban. Elle s'arrête à l'entrée de la ville pour acheter du rhum et des pâtisseries dans une épicerie. Gabriel attend dans la Chevrolet. Le coq est sagement assis dans son cageot sur la lunette arrière. Il se retourne pour le caresser. Les gallinacés et lui, ça n'a jamais été le grand amour, mais si son avenir est écrit dans les entrailles de la bête, autant faire ami-ami.

– Tu crois qu'on va faire de grandes choses, tous les deux ?

Le coq hoche la crête, lâche une fiente jaune sur le papier journal. Gabriel pousse un cri.

– Oh putain !… Trotski !

– Je te déconseille de l'appeler ainsi, philosophe Rodrigo en posant un sac rempli de victuailles sur la banquette arrière.

Cette fois, aucun doute, c'est l'Américain ! En pleine conversation avec un chauffeur de coco-taxi. Gabriel croise son regard, c'est lui ! L'Américain aussi l'a vu, il fait signe au coco de démarrer. Gabriel tente de descendre de voiture mais la poignée tourne à vide. Il essaie l'autre portière. Fermée elle aussi. Il cogne sur la vitre.

— Qu'est-ce qui t'arrive, Gabriel ?

— Je l'ai vu ! Je l'ai encore vu ! Putain, comment on ouvre cette portière, bordel de merde !

— Les portières ne s'ouvrent plus de l'intérieur, je suis désolé. C'est une vieille voiture, tu sais. Elle appartenait à un député du Parti orthodoxe qui a fui à Miami. Je l'ai depuis quarante ans, je la bichonne.

— Sécurité enfant, ricane Simone en reprenant le volant.

— Là, le coco-taxi ! Rattrape-le, Simone… s'il te plaît.

— Ho, c'est pas écrit Starsky et Hutsch ! J'ai pas envie de bousiller la caisse de mon Rodrigo.

— Qu'est-ce que tu as vu, Gabriel ? insiste le musicien.

Gabriel regarde le coco-taxi tourner dans une ruelle.

— Laisse tomber, Rodrigo. De toute façon, on peut pas le suivre dans ces petites rues. J'ai l'impression que je vais devenir fou, moi… Vous pouvez me laisser au cybercafé de la rue José Marti ? Il faut que j'interroge ma boîte.

— Oui, mais tu viens avec nous à la fête.

— D'accord, t'as dix minutes. On te garde ton coq.

*

Un nouveau message attend Gabriel.

Tu devrais surveiller tes fréquentations, Gabriel. Cette femme ne te veut peut-être pas que du bien.

Cette fois, pas de doute, Caballero n'est autre que Trotski. Un coup d'œil latéral. Ce serait trop fort s'il écrivait du cybercafé. Mais non.

Il répond aussitôt.

Je ne sais pas qui vous êtes, mais je connais votre tête. Vous étiez assis à côté de moi dans l'avion, c'est ça ? Que me voulez-vous ? Où étiez-vous passé à l'atterrissage ? Pourquoi m'avez-vous fait venir à Trinidad ? C'est vous qui avez donné le billet d'avion au patron du café ?

Réponse immédiate.

Je n'ai jamais pris cet avion, je crois que tu auras une grosse surprise quand nous nous rencontrerons. Tu es venu à Trinidad parce que je le veux. Aimerais-tu changer de vie, Gabriel ?

Réponse de Gabriel.

Je ne sais pas. Vous pourriez approfondir ?

Réponse immédiate.

C'est un peu tôt. Je ne te répondrai plus aujourd'hui. Je dois partir.

Réponse de Gabriel.

Je veux une réponse maintenant sinon je plaque tout. J'en ai rien à foutre de crever, de toute façon j'en ai marre de la France.

Gabriel attend cinq minutes, en vain.

– Bon, tu viens, Walker Bush ? lui crie Simone postée dans l'entrée. Au fait, ta sœur, elle a accouché ?

Il paie trois dollars et sort.

22

La cousine de Rodrigo les reçut dans son « hacienda », une maison coloniale perdue dans la campagne à la sortie de Trinidad, sur la route de la sierra. Norma avait soixante-dix-sept ans, à quelques jours près elle était née le même jour que Fidel et elle se portait comme un charme. Tous les matins, elle enfourchait sa bicyclette pour aller se recueillir sur la tombe de son défunt mari, à quatre kilomètres de là. Gustavo était enterré à l'endroit même où il était tombé sous les balles des *bandidos* de la Sierra Escambray, le 17 février 1962, dans un champ de maïs. La maison avait appartenu à un certain Jose Maria Matute, planteur de canne à sucre dont la famille était arrivée à Cuba avec les colons espagnols. La famille avait prospéré pendant la domination américaine mais, dès les premiers mois de l'insurrection, le patriarche, farouchement hostile à la Révolution, avait décrété la fuite à Miami, abandonnant tous leurs biens, y compris les quatre voitures américaines, dont une magnifique Chevy Impala 1956 rose bonbon, dont Norma avait hérité et qu'elle appelait Pink Cadillac depuis qu'elle avait vu le film de Clint Eastwood. Ramon, le petit-fils de Norma, agent d'entretien à l'hôpital de Trinidad, assurait la maintenance des véhicules. En compagnie d'une dizaine d'autres familles, Rodrigo et Norma avaient pris possession de la vaste demeure et de ses dépendances, le reste de la propriété devenant une ferme d'État. Tous les samedis soirs, la vieille dame indigne donnait une grande *fiesta* où le *ron* et la *musica* coulaient à flots. Ce soir-là, Rodrigo, le cousin de La Havane, était l'attraction. Sa guitare faisait des merveilles, les dix musiciens alternaient le *cha-cha*, la *salsa* et la *tumba francese*. La fête fut comme d'habitude une grande réussite. Hortensia et Ernesto étaient des leurs. Gabriel s'amusa beaucoup, *salsa con Hortensia*, *ron con Ernesto*, Simona avait trouvé en Ernesto le cavalier idéal. Elle était très entreprenante, *un poco borracha*, à tel point que Gabriel s'était demandé si elle n'allait pas plaquer son Rodrigo occupé à la guitare et s'embraser pour le beau moustachu viril. Mais il n'en fut rien. Les vapeurs d'alcool, la musique et l'amitié avaient réussi à lui faire oublier tout le reste, il était heureux.

Le lendemain après-midi, en paix avec lui-même, il visita le musée de la Lucha contre los Bandidos en compagnie de Simone et Rodrigo. Un musée un peu foutraque, construit dans l'ancien couvent dont la tour domine la ville. Sous cette appellation digne de Tintin se cache la lutte contre la guérilla contre-révolutionnaire de l'Escambray, pendant l'automne 1960. Ceux-là mêmes qui avaient tué le mari de Norma. Rodrigo avait pleuré son cousin, engagé aux côtés des fidélistes, mais il n'était pas tendre avec Fidel. Le musée racontait l'histoire officielle, la propagande. Il ne disait pas la campagne féroce dont la guérilla avait été l'objet, les brigades qui ne faisaient pas de prisonniers, les centaines d'insurgés fusillés sans jugement, la rafle gigantesque organisée par Castro, dans le plus grand secret, au cours de laquelle près de cent mille personnes avaient été arrêtées pour prévenir une possible contamination de l'insurrection. En quelques mois, *los bandidos* avaient été réduits à néant, et la CIA, qui fomentait à cette époque un coup d'État pour renverser Castro, avait alors pu constater à quel point Fidel était un fin stratège et s'était cassé les dents. Ça, le musée le disait.

En montant l'escalier de bois, Gabriel se sent fébrile, la cloche lui fait irrésistiblement penser au film d'Hitchcock. *Vertigo*. Il monte, monte jusqu'au sommet de la tour, il s'est arrêté plusieurs fois avant de culminer. La vue magnifique, avec les montagnes au loin. Il ouvre la petite boîte noire et disperse les dernières cendres de Pedro. Il pense à l'inscription sur le mur de la Bodeguita del Medio. CARGUE CON TU PESAO. *Arrange-toi avec ta peine*. La pluie de confettis noirs se volatilise au-dessus des toits. Il chiale un bon coup, pousse un cri tarzanesque dont l'écho rebondit contre les parois des montagnes, et redescend en sifflotant, soulagé. *Cargo con tu pesao*. Ça y est, il l'a fait. Pedro a définitivement quitté ce monde. En redescendant, il croise Simone et son Rodrigo qui montent, main dans la main, en riant.

23

Le taxi le prend à 7 heures chez Hortensia et Ernesto. Rodrigo et Simona sont venus lui dire au revoir, les adieux sont émouvants. Simona lui a juré dans l'oreille qu'elle ne l'oublierait pas, jusqu'à son dernier souffle. Gabriel s'attend tellement à la recroiser dans l'île qu'il est surpris par cet élan de chaleur humaine. Le chauffeur ne veut pas du coq dans son taxi. Il faudra toute la persuasion d'Hortensia pour qu'il accepte, moyennant un supplément de cinq dollars, exorbitant dans la mesure où le voyage en taxi ne coûte que vingt-cinq dollars, c'est-à-dire le même prix qu'en autocar. Voyage sans histoire en compagnie d'un couple de lesbiennes charismatiques bulgares – c'est ainsi qu'elles se sont présentées –, agrémenté d'un arrêt pipi à mi-chemin, l'inévitable orchestre sorti de la rase campagne pour une petite complainte dollaresque. Cinq heures plus tard, le taxi arrive dans la banlieue de La Havane. Les deux filles descendent dans le Nuevo Vedado. Le taxi le dépose devant l'hôtel Habana Libre. Le portier refuse de le laisser entrer à cause du coq. Gabriel le laisse en consigne à un vieux vendeur de *Granma* installé à la sortie du palace. Que va-t-il faire de ce foutu coq ? Ça ne va pas être commode de se balader avec ce volatile sous le bras. La prêtresse a bien précisé qu'il devait le garder *chez lui*. La fille du cybercafé le reconnaît. Un seul message. Balthazar. L'instituteur lui donne rendez-vous le lendemain à onze heures devant la Bodeguita del Medio, il l'emmènera voir un *babalao*. Il répond OK, sans parler du gallinacé. Pas de message de Caballero. Pas de nouvelles d'Odalia et de Cecilia non plus. Il s'arrête à une cabine et téléphone à Nurys. Ça ne répond pas. Il laisse sonner trente fois et décide d'aller voir sur place. Mais avant cela, il lui faut retirer de l'argent, il a donné ses derniers dollars au taxi. Il s'arrête à la Caja de Ahorros. Les distributeurs automatiques cubains distribuent des pesos convertibles, dont le cours est identique à celui du dollar. Il demande 120 pesos. La machine fait la sourde oreille. Caballero contrôlerait-il aussi les automates ? Gabriel entre dans la banque. Avec son passeport au nom de Walker Bush et une carte Visa au nom de Lecouvreur, il va falloir jouer serré. Il entreprend une employée créole en uniforme. C'est fou ce qu'on porte l'uniforme à Cuba. Sans sa tenue, on pourrait la prendre pour une *jinetera*. Sourire enjôleur. Charabia incompréhensible, il croit comprendre que la machine ne distribue plus que des billets de *trois* pesos. Et Gabriel assiste à un numéro de haute voltige typiquement cubano. La fille lui fait signe de sortir de la banque, entre avec lui dans la cage de verre, s'empare de sa carte Visa avec un clin d'œil fripon. *Su codigo secreto, por favor?* Elle se pousse pour lui laisser l'accès au clavier, Gabriel frôle ses seins, dans l'émotion il lui donne son code et la laisse pianoter. Le nez dans son cou, il s'imprègne de son parfum, elle sent la violette, ses yeux naviguent entre les fesses de la fille et la fente de la machine qui n'en finit pas de cracher ses billets, puis elle recompte un à un les billets, humectant son index entre ses lèvres pur-purines, Gabriel salive, à Cuba même le retrait d'argent liquide peut être prétexte à des fan-tasmes érotiques. Puis elle lui remet son pactole en riant, une liasse de quarante billets de trois pesos convertibles flambants neufs qu'il répartit dans les poches de son baggy. Il effleure sa main, et c'est bien la première fois de sa vie qu'il *bande* en touchant du pognon.

Il remonte la Rampa jusqu'au Malecon. Impossible de trouver un taxi. Il essaie les taxis américains mais aucun ne s'arrête. Encore du chemin pour avoir l'air d'un vrai Cubain. En désespoir de cause, il se poste devant l'immeuble de la Cubana de Aviacion et lève le pouce. Une vieille caisse rouge s'arrête illico. Une Mosk-vitch. Fabrication soviétique, relique de l'époque où les Popov colonisaient l'île. Le chauffeur passe la tête par la vitre et déploie quatre doigts. Gabriel exhibe un billet de trois pesos conver-tibles que le conducteur regarde avec dédain.

– *Es quatro dollares… No tiene un dollar ?*

Gabriel hoche la tête. Il n'a pas.

– *Un euro ?*

Depuis quelque temps, l'euro est devenue la quatrième monnaie de Cuba. Il n'en a pas non plus.

– *Lo siento mucho, señor. Si no tiene moneda fraccionaria, da me lo dos billetes*[1].

– *Dos billetes ? Seis pesos ? Para ir al Prado ? Es caro !…*

– *Hay que caminar, compañero !* lance le chauffeur en moulinant des coudes.

Gabriel n'a pas plus de chance avec les deux voitures suivantes. Le tarif est de quatre dollars, la *botella*, c'est comme les tickets-restaurant, on ne rend pas la monnaie. Une Lada verte s'arrête au bout d'une minute.

– *A donde va ?* demande le conducteur.

Marre d'attendre, Gabriel lui tend deux billets de trois pesos.

– *Capitolio.*

– Six pesos pour le Capitole, vous êtes généreux. (L'homme parle remarquablement bien le français. Il ajoute :) Pour vous, ce sera gratis, monsieur Lecouvreur.

– Vous… vous aussi, vous me connaissez ?

– Ça n'a pas tellement l'air de vous surprendre.

---

1 Excuse-moi, monsieur. Si tu n'as pas l'appoint, donne-moi tes deux billets.

— Euh, eh bien, à la vérité... Rien ne me surprend plus dans ce pays.

— Cuba est une terre de contrastes, vous avez raison de ne pas être surpris, enchaîne-t-il. Montez. Nous parlerons en cours de route.

Gabriel s'installe à côté du chauffeur.

24

L'homme portait une *guayabera* rayée et une banane autour de la ceinture. Il était de taille moyenne et dégarni. Une bonne tête de représentant de commerce avec qui on aimerait prendre l'apéro en parlant de la pluie et du beau temps. Il n'avait pas l'air typiquement cubain.

– Je m'appelle Carlos, fit-il en souriant. Carlos Lage… Vous avez peut-être entendu parler de moi.

Gabriel se gratta le nez. Carlos Lage. Voyons, voyons… Il poussa aussitôt un cri de surprise.

– Carlos Lage… Vous *êtes* Carlos Lage ? *Le* Carlos Lage…

– Affirmatif.

Carlos Lage, vice-président du Conseil d'État cubain, le numéro 3 du régime après Raul Castro !

– Vous voulez voir mes papiers, monsieur Lecouvreur ? dit-il en portant la main à sa poche revolver.

– Non, non, je vous crois sur parole… D'ailleurs, j'ai vu votre photo dans un journal espagnol récemment, vous lui ressemblez… Mais tout de même, avouez qu'il y a de quoi être

surpris. Vous n'avez pas de garde du corps ?
Vous… Et vous prenez souvent les autostoppeurs ?

– Sauf quand je vais au bureau à bicyclette,
plaisanta Lage. Vous n'avez pas été sans
remarquer qu'il y avait des problèmes de trans-
ports à Cuba. La *botella* est un moyen de transport assez répandu. Donnant-donnant. Je rends
service à mes compatriotes, et en échange je
prends le pouls du pays [1]…

Je suis tombé sur un dingue, murmura Gabriel,
qui mourait d'envie de lui demander s'il n'avait
jamais eu de problèmes avec ses passagers. Je
savais que ce pays était un pays de dingues, mais
là, ça dépasse les bornes. C'est pas possible !

– Excusez-moi, euh, vous passez là par hasard
ou c'était calculé ? Vous comprenez, chez nous,
en France, c'est une chose…

– Tout à fait inimaginable, j'entends bien.
Dans un pays où l'individualisme est érigé en
principe, rien d'étonnant à cela. On critique beaucoup Cuba, et pourtant… Mais je vous rassure, je
dois être le seul des cinquante-quatre membres du
gouvernement à agir de la sorte. Cigare ?

Il tendit la main vers la boîte à gants.

– Non, merci.

– Vous avez tort, ils viennent de chez
Robaina. C'est le producteur le plus réputé de
Cuba. Bien, maintenant que nous avons fait

---

1 Authentique.

connaissance, parlons peu, mais parlons bien. Nous avons un petit problème à régler, Gabriel.

– Un problème avec moi ?

– Pas vraiment. Mais nous comptons sur vous pour le régler. Ou tout au moins pour nous y aider. Je vous explique ?

– Je vous écoute, oui, fit Gabriel en hochant pensivement la tête.

Le vice-président s'éclaircit la voix.

– Nous avons utilisé des moyens assez peu orthodoxes à votre égard, monsieur Lecouvreur. J'espère que vous n'avez pas été trop… effrayé.

– Pour ne rien vous cacher, j'ai eu un peu la trouille, surtout à l'aéroport… J'imagine que vous allez me raconter pourquoi je rencontre plein de Cubains qui m'appellent par mon prénom.

Carlos Lage éclata de rire. Il avait l'air assez sympa, pour un homme de l'ombre de Fidel. Et plutôt abordable.

– Vous le saurez bien assez tôt, ne vous inquiétez pas… Bien, euh, voilà comment se présentent les choses… Vous êtes un citoyen français un peu… spécial, monsieur Lecouvreur. À plusieurs titres, d'ailleurs…

– J'ignorais que j'avais des titres, plaisanta Gabriel. Euh, excusez-moi, je ne voudrais pas vous retarder. Je vous écoute.

– Parfait. Il y a quelques semaines, un de nos agents à Montréal a reçu la visite d'un ressortissant français un peu… particulier, lui aussi. Un certain Moritz Dante. Ce nom-là vous dit-il quelque chose ?

– Moritz Dante. Euh non… Qui c'est ?

– Moritz Dante est un écrivain français installé au Canada depuis six ans. Cet individu a défrayé la chronique récemment en France, c'est étrange que vous n'ayez pas entendu parler de lui.

– Vous savez, je suis rangé des voitures, depuis quelque temps. Entre deux voyages à l'étranger, je ne sors pas tellement de ma tanière. Et qu'a-t-il donc fait pour… défrayer la chronique, ce, comment dites-vous, déjà ?

– Dante. Moritz Dante. Cet écrivain publie aussi une sorte de journal… métaphysique dans lequel il a un avis sur tout, ou à peu près tout. Ce monsieur aime faire dans la provocation. C'est un homme capable de déclarer qu'on a beaucoup exagéré la complicité de l'Église catholique par rapport au régime nazi, pendant la Seconde Guerre mondiale. Ou de parler de l'égalitarisme des nazis, vous voyez le genre…

Gabriel se frappa le front. *Libérez Battisti. Enfermez Dantec…* Il s'agissait forcément du même, Lage avait un défaut de prononciation, c'est tout.

– Je vois très bien, merci. Par contre, je ne vois pas très bien où vous voulez en venir. Vous ne m'avez tout de même pas fait venir à Cuba pour me parler d'un type qui travaille du *sombrero*…

Carlos Lage donna un léger coup de poing sur le volant. La Lada chassa un peu de l'avant.

– Attendez. Vous avez entendu parler de l'affaire du foulard islamique qui envenime la France, entre deux voyages à l'étranger ?

– Ma copine Enorah me rabâche les oreilles avec ça. Enfin, mon ex-copine.

– Moritz Dante a tenu des propos islamophobes, et même racistes, sur le sujet. Il a même fait allégeance au groupuscule fasciste français qui a tenté d'assassiner votre président, mais ce n'est pas ce qui nous intéresse... À cette occasion, il s'est violemment attaqué à son pays d'accueil, le Canada, prétendant que les Québécois étaient des... castrés.

– Des castrés ? Qu'est-ce que les Québécois viennent faire dans cette histoire de foulard ?

– Il ne parlait pas de cela précisément, je me suis confondu. Il parlait de la guerre en Irak, contre laquelle les Québécois se sont élevés, au même titre que les Cubains et les Français. Ce Moritz Dante est aussi un ardent défenseur de l'impérialisme étasunien et un admirateur de Bush... D'après lui, les États-Unis et Israël sont les seuls remparts à la prolifération de l'islam radical dans le monde. Il prône une alliance sacrée entre le judaïsme et la chrétienté... L'affaire en serait restée là si cet individu n'avait contacté l'attaché culturel de notre ambassade à Montréal. Et si Fidel n'avait pris très au sérieux la hauteur de vue christique de ce Moritz Dante, qui est allé jusqu'à se faire baptiser...

– Quelles propositions ?

– Eh bien... Moritz Dante a proposé ses services au président Castro.

Gabriel se demanda si le ciel n'était pas en train de lui tomber sur la *cabeza*.

— Attendez, je ne comprends pas, là ! Ce type est pro-américain, et il vient proposer ses services à Fidel Castro ! Ça ne tient pas debout, votre histoire… Quels genres de services ?

— Dante prétend disposer d'un remède miracle pour sauver Cuba de la faillite. Il prétend même pouvoir sauver l'humanité sur la lancée, enfin, ce qu'il appelle le « post-humain ».

— Vous n'allez tout de même pas croire une chose pareille ! Ce mec m'a l'air sérieusement ravagé…

— C'est aussi mon avis. Mais le *Comandante* est plus nuancé. Fidel a toujours aimé les situations tordues, les individus tordus. Il a la faiblesse de croire à certains de ses arguments. Il pense que les desseins de Dante méritent d'être étudiés avec attention. C'est pourquoi nous avons besoin de vous, Gabriel.

— Mais pourquoi *moi* ! J'ai jamais rencontré ce Dante !

— Justement, c'est un atout. Il ne vous connaît pas, il ne se méfiera pas de vous. Comme tous les individus qui se nourrissent de leur mégalomanie, il a besoin d'élargir son public, ça flatte son délire égotique. Si vous réussissez à lui faire croire que vous êtes un adepte de ses idées prêt à s'engager à ses côtés dans son combat philosophique, il se confiera à vous.

— Et que voulez-vous qu'il me dise ?

– La vérité sur ses intentions réelles.

– Dites-moi, c'est mission impossible, votre truc. Qu'est-ce qui vous dit qu'il la connaît lui-même, sa vérité ! S'il se doute de quelque chose, il va louvoyer. Et puis moi, les fascistes… enfin, vous m'avez compris… *Un bon fasciste*… Vous m'avez bien dit qu'il était fasciste, non ?

– Les grands mots ! C'est très français, ça… Vous êtes exactement l'homme de la situation, croyez-moi.

– Et si ce type était envoyé par la CIA pour l'assassiner ? Je croyais que Fidel était méfiant, ça va pas, là !

– Je ne devrais pas vous le dire, mais vous vous en apercevrez par vous-même… Fidel a bien changé depuis quelque temps. Ce n'est plus le même homme. Il est malade, il sent que la fin est proche.

– Vous voulez que je le teste, c'est ça ? Pourquoi vous le passez pas au détecteur de métaux ?

– Joli lapsus. Il y a longtemps que la CIA a mis au point des antidotes à ce genre de pratique, ce ne serait d'aucun effet.

– Mais pourquoi *moi* ! J'ai jamais mis les pieds à Cuba, je ne connais rien aux subtilités de votre pays. En plus de ça, depuis deux mois je suis dépressif…

– Fidel vous a choisi, mon vieux. Voilà pourquoi vous êtes à Cuba. Vous n'avez pas le choix.

– Fidel ? Il *m'a* choisi ?

– Exactement.

— Il m'a choisi, *moi*, Gabriel Lecouvreur ? J'le crois pas, là ! Il a trouvé mon adresse dans le Bottin mondain ou quoi ?

— Vous vous êtes fait remarquer de très belle façon ces dernières années, monsieur Lecouvreur, ne vous sous-estimez pas. Pour un autodidacte, vous vous débrouillez très bien... Et puis, vous avez des nerfs d'acier. Vous l'avez prouvé depuis que vous êtes arrivé à La Havane...

— C'était donc ça, laissa tomber Gabriel. Vous vous êtes bien payé ma poire.

— Mais ce n'est pas pour vos petits talents d'aventurier que Fidel vous a choisi... C'est pour une raison beaucoup plus... personnelle...

— Comment ça, *personnelle* ? On peut savoir ?

— Je n'ai pas le droit de vous le dire, Gabriel. Vous le saurez très vite, ne vous inquiétez pas.

— Ça y est, j'ai compris ! C'est Pedro ! C'est mon pote Pedro... Il est venu deux fois à Cuba dans le temps, c'est lui... Il a dû rencontrer Fidel... Si seulement il était encore vivant...

Carlos Lage éclata de rire.

— Tu es bien tel qu'on t'a décrit, Gabriel. Un idéaliste doublé d'un grand romantique. Je te rappelle que tu n'étais pas encore né quand ton ami Pedro est venu à Cuba, *compañero*.

Et vas-y que je te tutoie... La petite touche d'intimité au moment idoine. Putain, ils ne laissaient rien au hasard. Ils étaient vraiment trop forts.

— Caballero, c'est vous ?

Le vice-président éluda la question.

– Demain midi, une voiture viendra vous chercher à l'hôtel Lido pour vous emmener quelque part à La Havane. Ensuite, vous serez en stand-by. Vous attendrez nos instructions. Je compte sur vous. Ne nous faites pas faux-bond.

– Vous avez l'air bien sûr de vous, señor Lage. Je sais pas, moi... et si j'essayais de me faire la belle...

– Avec votre passeport au nom de Walker Bush ? Allons...

– Ouais, évidemment.

La Lada quitta le Malecon et tourna à gauche, calle Perseverancia. Gabriel reconnut l'immeuble noirci de huit étages où habitait le Bukowski cubain.

– Et si je me planquais ? Qu'est-ce qui se passe si je me planque ?

– Nous vous retrouverions. À moins que vous ne décidiez de mettre fin à vos jours, bien entendu. Mais je doute fort que vous ayez des intentions suicidaires, n'est-ce pas ? Quoi que vous fassiez, nous vous retrouverons. Ce que Fidel veut...

Gabriel se gratta la nuque à l'endroit où... Se peut-il qu'ils m'aient... Pedro, mon ami, *ayuda me*...

– Nom de Dieu ! Vous m'avez collé une puce dans le cerveau ! Vous m'avez collé une puce dans le cerveau, c'est ça ? Je l'savais, ah, putain...

Lage se gara devant un immeuble totalement éventré. Deux pans de murs, un tas de poussière et de gravats. Gabriel reconnut le bâtiment dont Balthazar lui avait parlé. Il s'était effondré en pleine nuit quelques semaines plus tôt. Le CDR avait fourni le chiffre officiel de deux morts et six blessés graves. D'après Balthazar, il fallait multiplier le nombre des morts par quatre.

– Vous lisez trop de romans policiers, fit le Cubain en riant de toutes ses dents. Profitez bien de cette dernière soirée avec Odalia, Gabriel.

– Odalia… Mais… comment savez-vous ?

Le vice-président ouvrit la porte de la Lada. Un chien galeux compissait l'enjoliveur d'une Chrysler mauve au capot ouvert. Gabriel pensa au vétérinaire. Il se mit à bégayer :

– Fransisco Platet… C'est vous qui l'avez tué ?

– Qui est Fransisco Platet ?

– Le chauffeur de taxi qui m'a chargé à l'aéroport.

Carlos Lage éclata de rire.

– Fransisco Platet ne s'appelle pas Fransisco Platet. Et il est toujours vivant.

– Putain, j'aurais dû m'en douter… Mais quel con… Le perroquet de Cecilia, c'est vous aussi, je suppose ?

Le vice-président se pencha pour fermer la portière de la Lada.

– Nous nous reverrons très bientôt, Gabriel, vous m'êtes très sympathique. Vous me faites penser à un camarade de promotion de pédiatrie. Mais de grâce, cessez donc cette paranoïa, je ne suis pas sûr que ça plairait au Commandant en chef. En voiture Simone ! ajouta-t-il en riant. On dit toujours ça en France ? En voiture Simone, vive la France, cocorico...

Il claqua la portière. La Lada démarra dans un panache noir de fumée. Gabriel la vit tourner au coin de la rue. Il se frappa le front.

– Le coq ! J'ai oublié le coq au Hilton... Et merde !...

C'est alors qu'il réalisa qu'il était à deux pas du *solares* de Cecilia.

25

Gabriel s'immobilisa sur la coursive devant la porte de l'appartement. Kuka faisait des acrobaties dans sa cage. Cecilia était rentrée. Odalia était rentrée. Sa tante était en train de lui peindre les ongles sur le canapé. Une quinzaine de flacons de vernis dans une corbeille à pain. Nurys buvait une bière dans le coin cuisine. Un petit garçon noir regardait un dessin animé à la télévision. Pendant quelques secondes, il fut tenté de faire demi-tour, repartir avec l'image de ce tableau paisible, touchant. Cela aurait peut-être été mieux pour tous. Mais il n'en fit rien.

— Ils lui ont fait un lavage de cerveau ou quoi ? demanda-t-il en passant le seuil de la porte ouverte.

— Gabriel !… Qui ça ?

— Kuka. Vous savez ce qu'il m'a dit en entrant ? « Viva Fidel ! »

— Gabriel ! Te voilà revenu !

Odalia voulut se lever mais sa tante la retint par le bras.

— Attends, je n'ai pas fini. Tu peux attendre une minute, non ?

La jeune créole n'eut pas à attendre aussi longtemps. Gabriel tomba à ses genoux et la serra dans ses bras. Cecilia lui avait peint les ongles en rose, avec des éclats étoilés de blanc et une bande blanche à l'extrémité. Les siens étaient peints du motif yin et yang. Il posa la bouteille de Havana Club dix ans d'âge et la boîte de chocolats qu'il avait achetés dans un magasin en dollars.

– Comment va ta grand-mère, Odalia ?

Pour toute réponse, la jeune fille l'attira par le cou et lui roula une pelle mémorable, sous les yeux amusés de sa tante et de Nurys, qui expliquèrent en riant l'heureux dénouement de l'affaire. Cecilia avait été dénoncée par un membre du CDR, celui-là même qui l'avait dénoncée pour la machine à coudre, mais on l'avait relâchée à la dizième heure de garde à vue car Humberto, le voisin, avait été arrêté à son tour ; pendant qu'il dénonçait Cecilia, une main indélicate avait ouvert la porte de l'enclos où il engraissait son cochon, qui s'était échappé dans la rue et, lorsqu'il était rentré du commissariat, Humberto était tombé sur un homme transportant un cochon égorgé dans une brouette, il avait reconnu sa bête, le ton était monté, les deux hommes s'étaient battus et, pour finir, Humberto avait retiré le couteau de la gorge de l'animal et l'avait enfoncé dans la poitrine du voleur de porc qui s'était effondré, raide mort, sous les yeux d'une patrouille de la Police nationale révolutionnaire. Nurys attribuait cet enchaînement d'événements à Chacha, une *iyaloche* de l'avenue Reina prévenue par Yudel, laquelle avait intercédé auprès de Yemayà, la déesse de la mer. Ce n'était pas l'avis de Cecilia, qui estimait que, si Yemayà avait bien des pouvoirs, elle n'avait pas celui d'ouvrir les portes des prisons, et par conséquent ça n'expliquait pas pourquoi la police l'avait relâchée et donc il y avait une autre raison, les flics s'étaient peut-être tout simplement aperçu de leur méprise en interrogeant Kuka et en constatant que le perroquet avait bien crié « Libérez Battisti » et non pas « Libérez Batista », et ça les ramenait à leur point de départ, à savoir qu'on ne savait toujours pas qui était ce Battisti, peut-être sais-tu, toi, Gabriel ? Là-dessus, au moins les deux amies étaient d'accord, mais Gabriel ne put satisfaire leur curiosité car Odalia et lui leur avaient faussé compagnie mais elles ne s'en étaient pas rendu compte, tellement leur discussion était passionnée.

*

Balthazar l'attendait sur les marches du Capitole. L'instituteur était plongé dans un cahier d'écolier. Colonne de mots espagnols à droite, équivalents français en face. Gabriel n'eut pas besoin de lui présenter son amie. Depuis le temps qu'Odalia arpentait le Prado à la recherche de touristes, elle l'avait croisé de nombreuses fois. Ils remontèrent l'avenue des Missions et allèrent boire un verre à la Bodeguita del Medio, calle

Empedrado. Balthazar n'avait jamais mis les pieds dans cet endroit mythique, où la moindre bière valait deux semaines de son salaire d'instituteur. Odalia y avait passé de nombreuses soirées avec ses « invités ». Ils ajoutèrent leurs trois noms à la liste des graffitis qui ornaient les murs du sol au plafond.

– Tu veux toujours aller chez le *babalao* ? demanda Balthazar.

– J'ai perdu mon coq, avoua Gabriel. Une autre fois.

Odalia était d'accord avec lui, le *babalao* pouvait attendre. Elle avait envie de faire la fête. Ça tombait bien, il y avait une soirée dansante sur la terrasse du Lido. Elle aurait préféré passer la soirée au Tropicana, une boîte branchée de Miramar, mais Gabriel tenait à être frais et dispos le lendemain matin. Il inventa un bobard et ils rentrèrent à l'hôtel à huit heures. Balthazar était invité de son côté, il les laissa au coin de la calle Consulado. L'hôtesse d'accueil avait de plus en plus de mal à gérer son centre de gravité. Ils prirent la *cena* sur la terrasse, au milieu d'un groupe de touristes anglais émerveillés par le groupe afrocubain qui animait la soirée. Un mulâtre en pagne menait la danse, fouet à la main, avec des mimiques censées effrayer. Trois sublimes danseuses noires en bikini à fleurs mimaient la révolte des esclaves, sous l'œil allumé des musiciens, deux percussionnistes et un guitariste. Odalia dansait la *salsa*, elle ondulait du ventre avec une maestria incroyable. Gabriel était au paradis rien que de la regarder. Elle passa la nuit avec lui. Il se demanda si elle était restée avec lui pour surveiller ses faits et gestes ou si elle était réellement sincère. Si elle n'était pas sincère, c'était rudement bien imité. Elle baisait avec encore plus de frénésie que lors de leur première nuit, elle était insatiable. Gabriel lui fit l'amour comme si c'était la dernière fois.

26

Le lendemain matin, un homme avec des lunettes noires l'attendait devant l'hôtel. Il le conduisit dans une voiture garée à l'angle d'Animas et d'Industrias. Gabriel avait laissé Odalia sur la terrasse, inutile de la mêler à tout ça. Il se garda bien de lui dire qu'il ne la reverrait peut-être pas et nota le numéro de téléphone qu'elle lui donnait comme s'ils allaient se revoir dans deux heures. La veille au soir, le veilleur de nuit facétieux lui avait remis une enveloppe déposée à son attention. À l'intérieur, un carton. *Ne faites surtout pas vos adieux à la jinetera, faites comme si vous vous revoyez demain, et tout ira bien pour elle.* Trois feuilles dactylographiées. Le CV détaillé de Moritz Dante, accompagné de la mention « à détruire après lecture ». Le Cubain le fit monter à l'arrière et, sans dire un mot, lui banda les yeux avec un chiffon noir. Ils avaient roulé une vingtaine de minutes lorsque la voiture s'arrêta. Elle ne roulait pas vite, Gabriel en conclut qu'ils n'avaient pas quitté la partie centrale de La Havane. L'homme le fit descendre et le guida jusque dans le hall d'une maison. Ils montèrent un étage. À en juger par la hauteur des marches, ça devait être une belle demeure coloniale. L'homme ouvrit une succession de portes et lui ôta le bandeau. Il faisait sensiblement plus chaud que la veille. Un ventilateur monumental tournait au plafond. Il se trouvait sur une terrasse bordée par un grillage de trois mètres de haut, envahie par des plantes ornementales et donnant sur une avenue bruyante. La circulation était beaucoup plus dense qu'à Vieja Habana. Gabriel pencha pour le Vedado. Il s'approcha du grillage et jeta un œil en contrebas. Une voiture banalisée stationnait le long du trottoir, un homme fumait une cigarette, adossé contre le capot. Un *camello* passa dans un bruit d'enfer. C'était un défilé incessant de bicyclettes, de taxis Havanauto et de taxis collectifs « américains ». Le Cubain le fit asseoir sur un vieux fauteuil en cuir.

– *Espera aqui, por favor.*

Il quitta aussitôt les lieux. Gabriel n'avait pas encore entendu le son de sa voix. Un homme d'une quarantaine d'années arriva peu après. Il était plus loquace.

– Bienvenue, Gabriel. Cuba libre ? Cigare ?

L'homme était un blanc jovial, sa barbe de trois jours, sa casquette avec le logo du magazine *Rolling Stones* et ses petites lunettes rondes lui donnaient un air d'adolescent.

– J'aimerais autant un rhum sec, pour commencer. Vous avez du Habana Club ?

– *Habana Club, el ron de Cuba !* déclama joyeusement le Cubain.

– Vous n'auriez pas une cigarette aussi ? J'ai donné mon dernier paquet de tabac à un ami.

– Popular, ça ira ? Je n'ai plus de Marlboro. Et si tu as faim, je peux te préparer *una tortilla*.

– Ça ira, merci.

Décidément, il était aux petits oignons. L'homme parlait français avec un épouvantable accent.

– Je m'appelle Luis. Tu aimes le rock'n roll, Gabriel ? Je suis un fan des Rolling Stones, comme tu peux voir. Quand j'étais jeune, je jouais dans un groupe de rock à Miramar. Tu préfères le *son* et la *salsa*, peut-être ?

– Oui, je… enfin, j'aime bien toutes les ziques, fit Gabriel. Je suis un garçon très ouvert.

– Ton compatriote a des goûts très branchés sur la *pregunta*, ajouta Luis en riant. Il est plutôt *schizo metal*, je ne sais pas si cette musique…

– Tous les goûts sont dans la nature, confia Gabriel, de plus en plus intrigué. Vous m'avez bien parlé d'un compatriote ?

– Il dort encore. Il a écrit toute la nuit. Sacré Moritz, une vraie *machine gun*… Je te l'enverrai quand il se réveillera. Je t'apporte ton Habana Club tout de suite, *amigo*.

– *El ron de Cuba*, compléta le Poulpe, définitivement guéri de la bière.

*

Gabriel attendit son compatriote jusqu'à quatre heures de l'après-midi en sirotant les Cuba libre de leur hôte. Il passa tout ce temps entre la terrasse et la bibliothèque qui la jouxtait. Luis ne l'avait pas convié à prendre le frais dans sa chambre, ce qui l'étonna un peu. Il avait feuilleté des romans d'espionnage en anglais, des vieux numéros de la revue *Bohemia* et les œuvres complètes de Lénine en italien.

– Hola, camarade. *Viva la Revolucion !*

Le type brandissait le poing droit, ses mitaines de laine avaient quelque chose d'un peu superflu étant donné que la température avoisinait les trente degrés. Une énorme bagouze à motif inca était enroulée autour de son index. Gabriel ne moufta pas. Il venait de dormir deux heures d'affilée dans le fauteuil sur la terrasse et était passablement sonné.

– On va dire ça comme ça, dacodac ? *Que tal ?*

– *Que tal calor*, ouais… Quel pays ! Qu'est-ce que j'fous ici !

Moritz Dante était vêtu d'un pantalon de treillis et d'un tee-shirt kaki recouvert d'un cache-poussière en cuir noir à la *Matrix*. Il portait des boots mauves à bout pointu, du lézard, sembla-t-il à Gabriel, des Rayban et une casquette de Marine's. La boule à zéro. Barbe de six jours. Gueule de loup de mer à qui on ne la raconte pas, parsemée de balafres. Un anneau discret dans la narine. La voix rauque haut perchée. Un cigarillo éteint fiché dans un fume-cigarette ivoire philippe-sollersien.

– Alors, comme ça, il paraît que tu es en quête du nouveau nirvana social. Luis m'a déballé ton cv. Pas mal. Paraît qu't'as démantelé un gang de skins à Charenton-le-Pont avec ta bite et ton couteau... Tu fais pas dans la dentelle, dis donc ! Pas trop fatigué, le héros ?

Il y avait une bonne dose d'ironie dans sa voix. Gabriel décida de laisser pisser le mérinos.

– La presse en a beaucoup rajouté. Quel bon vent t'amène à Cuba ?

– Me parle pas de ces tocards ! Le vent de la colère, *amigo*.

– J'ai lu tes œuvres, ouais. C'est pas pour te flatter, mais ça vib's haut et fort. J'aimerais pas être à la place de tes enzymes quand tu fouailles la matrice ! T'as pas peur de passer la barre schizo ?

– Plus schizo qu'hier et moins que demain, exulta Dante. *Dixit* Ginsberg. Tu connais un autre moyen de taper la cloche de la littérature, toi ?... Bon, et à part ça, tu kiffes quoi d'ta life, à part te beurrer la gueule au Cuba libre avec des rockers cubains déjantés ?

– Oh, la, la. Si je commence à te raconter la genèse, on va y passer la nuit.

– Je te préviens, je suis un peu short. Je dois te quitter à six heures pétantes, désolé.

– Un rendez-vous avec une *jinetera* ?

– Ha, ha, très drôle, fit Dante. Luis m'a dit que t'étais porté sur la chose, mais je pensais pas que tu t'abaisserais à niquer des mineures en manque de dollars. Tu m'déçois un peu, là, camarade...

– Si on peut plus déconner. Quelque chose sur le feu ?

– *As you says*. Je préfère ça… Tous les soirs à six heures, je quitte mes pairs pour retrouver mes pères chamaniques, loin de la fureur du métamonde, je taille la route avec mes idoles. Et c'est comme ça jusqu'au bout de la nuit…

– *Dixit* Louis-Ferdinand.

– Fais gaffe, Gabriel, tu vas finir par m'énerver avec tes vannes de petit bourgeois. Je marche pas avec une baltringue, moi… Bon, pour parler plus prosaïquement, je suis comme qui dirait dans un roman. *Dixit* Pennac, ajouta Dante en éclatant de rire.

– On m'a dit que t'avais rencontré le *Comandante*, c'est vrai ce mensonge ?

– Plus vrai que vrai. Et me dis pas que j'ai le treillis réversible, sinon je te pète la gueule à coups de tatanes… Je déconne…

Moritz claqua sa main dans celle du Poulpe.

– Il a dû faire la gueule quand il a découvert où étaient tes idoles, ricana Gabriel. L'Étasunien n'est pas tellement en cour dans ce coin des Caraïbes.

Moritz, qui avait réponse à tout, répliqua que seuls les imbéciles ne changeaient pas d'avis et que, de toute manière, il fallait prendre le mot « idole » au sens deleuzien du terme, et pas du tout baudrillardien comme ne s'en privaient pas tous ces pleurnichards trotsko-bourdieusiens de la France foutue, sans parler de la ligue des hédonistes de ce petit crosseur de Michel Onfray d'Argentan qui faisait le malin avec son université Viking Leader Price, comme si on n'avait pas autre chose à foutre que d'élever l'intellect des indigents !

– La race se perd, mec... Moi, tu comprends, dans une autre vie, j'avais un père communiste que je faisais semblant d'admirer mais que je haïssais au plus profond de moi, et je ne sais pas si je dois le remercier ou le haïr un peu plus pour m'avoir permis d'être devenu un bon petit fasciste, et tu vas me croire si tu veux, Angel, euh, excuse-moi, Gabriel... mais le jour où je m'en suis aperçu, j'ai tellement r'viré soucoupe que j'ai été obligé de débretonniser mon nom, certains ajoutent une particule et après ils se sentent mieux quand ils font caca, moi j'ai viré le « c » à la fin de mon blaze, et voilà. *Ahora me llamo Moritz.* Moritz Dante. Ça sonne comment à ton oreille ?

– Ah, c'est pour ça qu't'as changé de blaze... C'est pas vraiment l'Angelus de Millet, mais je suppose que c'était pas l'effet escompté.

– *As you says. Do you see what I mean ?...* Nexus de tous les possibles. Prophète sorti du désert pour fustiger les idoles. C'est pas d'la castagne pour pépère Nougaro, ça ! Paix à son âme... Démiurge sinon rien. Comment savez-vous si la terre n'est pas l'enfer d'une autre planète ? *Dixit* Aldous Huxley. Faudrait peut-être y réfléchir, non ? *I am Dante, the king of the Hell, ah, ah !* Et permettez-moi de vous dire qu'une fois que vous avez passé cette porte, abandonnez tout espoir, les cocos ! Hein ? Elle est pas tip-top, celle-là, Gabriel ? Pourquoi crois-tu que j'ai envie de tailler la route, mon frère ? Par goût des voyages ? *Peanuts !* Cuba n'est qu'une étape, petit, je vais pas faire de vieux os dans cette île du Diable, moi ! Si le Vieux s'imagine que je vais occuper le ministère de la Dialectique jusqu'à ce qu'il passe l'arme à gauche, il se fout le doigt dans l'œil jusqu'au fond de la casquette, le Fidel. Après, moi, je file de l'autre côté de l'Atlantique, hop.

Gabriel avait écouté avec intérêt le délire étourdissant de Dante. Il décida de tenter une flèche.

— Tu rentres en France, alors ?

— Ma parole, t'es le roi des deux d'pique, toi ! Je retournerai jamais plus là-bas ! *Peanuts*, les petits crabes craintifs de la mère patrie. Quoique… si on me supplie à genoux, si on me propose de raser Red-Vitry, je dis pas, faut voir…

— Où t'iras, alors ?

Moritz Dante se tapa le plexus à coups d'index résolus.

— Où j'irai ? T'es bien en train de m'demander où j'irai, Gabriel ?

— C'était ma question, oui.

— À Jérusalem, j'irai ! Avec mes frères hébraïques ! C'est pas avec un mur de quatre cents kilomètres qu'il va sauver Israël de tous ces métèques à keffieh, le petit pépère Sharon ! Jérusalem, c'est là qu'il faut être, mon pote. C'est le nouveau Babylone, baby ! C'est là qu'il faut être. Et pas pour défendre la paix du monde, slaque-ça ! Aux armes, les juifs ! Sion-sion du bois, pour la mère Golda Meir, y'a plus de pain chez nous, y'en a chez les oussamas. Gazons Gaza ! Du balai, les Palestinos ! Allez voir chez l'émir si j'y suis ! Moi, je suis un sioniste, tu comprends. Juifs et chrétiens, même combat. L'islam, voilà l'ennemi. Tu m'crois pas ? Tu m'crois pas, dis... Tu crois qu'je suis cinglé !

– Mais pas du tout, Moritz, admit Gabriel. Tout cela est clair comme de l'eau de roche. Donc, si j'ai bien compris, tu fausses compagnie à Fidel et tu t'installes à Jérusalem ? J'comprends pas bien la démarche, là. Tu crois qu'il va te laisser partir ?

– M'installer ? T'as bien dit « m'installer » ? Tu m'prends pour une bille, dis ? Tu connais pas Moritz... *Primo*, en tant que ministre de la Dialectique de Fidel, j'ai le statut d'ambassadeur, donc je me barre où je veux, quand je veux... *Secundo*... Tu ne penses tout de même pas que je vais m'éterniser à Jérusalem ? Je suis un nomade, moi. Me faut de l'espace ! De l'espace pour l'espèce nouvelle ! Je porte en moi les stigmates du Juif errant ! Un astronautre... J'ai bien dit astro*nautre*, pas astronaute, tu mords la nuance, Gabriel ? Moritz, il veut voir du pays. C'est fini, la religion de papa. Laissez-moi rigoler avec la coexistence des trois religions monothéistes.

C'est mort, tout ça. Sans parler des Chinois. Tu crois qu'ils seront assez tartes pour se laisser bouffer le jonc, les Chinois ? Ils vont vouloir tirer les marrons du feu, les bridés ! Les mecs, mets-toi à leur place, un quart de la population mondiale, leur faut de l'espace vital, ils ont soif de sang neuf, ils vont pas se partager les miettes du gâteau... Seulement, y'a p'us de place pour un nouveau gourou sur cette putain d'planète ! La géographie, c'est mort. Faut faire éclater la bulle. Le village planétaire n'est qu'un atome à l'échelle de l'univers. Faut crisser son camp, mec ! L'avenir de l'humanité se situe hors du système solaire, c'est clair. Moi, je m'équipe en grand. Je recrute. Artificiers, ingénieurs, électroniciens, neurochirs, informaticiens, biologistes, poètes...

– Poètes ? Il y a de la place pour la poésie dans ton schéma idéologique ?

– Faut bien que quelqu'un se charge de la narration de la geste, j'ai absolument besoin d'un scribe pour chanter ma saga. Entrez, mes petits, entrez dans la matrice à Moritz, laissez venir à moi les petits enfants de la neuromasse ! Mais je pars pas sans biscuits, t'inquiète. Ma bite et mon couteau, c'est du passé. On a vu c'que ça donnait en Bosnie... J'ai des contacts un peu partout, mes idées ont fait le tour du web. Avec la fuite des cerveaux, y'a qu'à se baisser, merci Raffarin. Crois-moi, ça va dépoter sérieux ! Parce que le jour où j'aurai armé mon vaisseau pour partir à l'assaut du Nouveau

Monde métagalactique, j'peux t'dire qu'ils vont enfin comprendre leur douleur, les petits franchouillards de Vitry-Croissant-Beurs, ah, ils vont entendre parler de moi, les petits hallals de banlieue ! Fini le voile ! Fini la pause-sourate ! Fini de mettre le feu aux gisquettes dans le local-poubelle de la cité ! On va te venger, ma p'tite Sohane... Vous avez assez vu Sarko aux infos ? Vous voulez un truc plus hard ? Très bien, j'assure. La discrimination positive... il a vu jouer ça où, Nabo-Keuf ? Je voudrais pas désespérer Neuilly, mais Sarko c'est un timide, je l'ai dit à Pasqua quand je suis passé à la télé, il était aux anges, le Pig du Neuf Zédo, j'ai tout filmé, j'te jure... Et qui va prendre la place ? Hein ? À ton avis ?... T'as pas une petite idée ?... T'es lourd, mec... Bibi. Et c'est pas *un* Moritz Dante qu'ils verront à la télé, les gugusses, mais dix, mais cent, mais mille ! Parce que c'est le clonage qui va sauver le monde, mon pote, et tous les impies, les incroyants, les immatures, les insoumis à la métacause, à dégager ! Comment je vais te leur brûler le karma, moi ! Aux armes, citoyens ! Tous au Golgotha ! Portons bien haut l'étendard de la Convention de l'Europe chrétienne ! Christ est roi ! Giscard à la barre ! À la mitrailleuse lourde, tacatacatacatac... Putain, qu'est-ce qu'on va respirer ! Et moi, en vérité je vous le dis les gars, je serai le nouveau Messie, Jésus-de-Cubazareth, et celui qui aura péché par l'épée périra par l'épée, ni une, ni deux! T'as voulu brûler Sohane? Tu veux du djihad?! Ta djellab' sera ton linceul, l'ami!… On va t'cramer ta race… Tu comprends ça, Gabriel, où est-ce qu'il faut que je te fasse une explication de texte avec double interligne, thèse, antithèse, synthèse, plus un paquet de cacahuètes pour mastiquer, le temps que ça entre dans ton petit cerveau humanistoïde abonné à *Télérama*… Est-ce que tu comprends ce que je veux te dire, Gabriel?

Tout cela déclamé le bras levé, index tournoyant dans le ciel, façon Lénine sur les barricades revisité par Fidel. Dante était comme envouté. Gabriel était vachement impressionné.

— Ben oui, je comprends. Enfin, je connais les mots que t'emploies, Moritz, mais la vérité…

— Ah non, Gabriel! Si tu commences à parler le p'tit beur, je réponds plus de rien… Enlèvemoi c'mot-là!

— Quel mot?

— La vérité.

— Vérité? C'est pas très chrétien, tout ça.

— Non, pas vérité. *Lavérité*. En un seul mot. Je supporte plus, excuse!

— Comme je disais, je comprends les mots, mais j'ai du mal à voir le sens de tout ça. T'es pas le type ordinaire, toi!

— C'est pas pour rien que Fidel m'a confié le ministère de la Dialectique, qu'est-ce que tu crois! Tu m'déçois un peu, l'ami!

— Ah ouais, c'est vrai, j'avais oublié. Mais

comment t'as fait pour arriver à ce niveau ? T'as fait des études de philo ?

– Philo, moi ? Ah non, alors ! Le certif ! La rue ! Le rock ! La pub ! Le web ! La poudre ! Les voilà mes humanités. Le pif, c'est le plus court chemin vers le cerveau. Bon, c'est vrai, dans le temps, quand j'étais un petit titi de banlieue, j'ai rencontré un homme qui m'a mis sur le bon chemin, mais c'est loin, tout ça. Je me considère plutôt comme un autodidacte, faut dire c'qui est.

– Comment il s'appelait ?

– Spino.

– Spino ?

– Spino, ouais. Un dingue de Spinoza, complètement barré, le mec. Son vrai nom, je l'ai jamais su. On s'est côtoyés pendant des années mais j'ai jamais su son nom, je sais bien qu'c'est zarbi mais c'est ainsi. Son truc à lui, c'était plutôt dans le genre parano-club-moule-frites, alors moi, je l'appelais toujours Spino… Spy-No. *Dixit* Ian Flemming.

– Eh, mec, tu s'rais pas un peu…

– Cinglé ? Tu me prends pour un m'kaboule ?

– Non, c'est pas ça. D'ailleurs moi, tu sais, la folie : respect.

– Fasciste ?

– Moritz, allons…

– Si, si, dis-le, crève pas d'trouille sous ton burnous, l'ami… Ah, ça j'aime. J'aime-j'aime-j'aime quand on me traite de fasciste, la gueule du pater…

Dante se signa puis croisa les mains.

– Ouais, enfin… bref, t'as raison. Plus c'est gros et plus ça passe. Les mecs, ils sont en train de se noyer et ils sont tellement aveuglés qu'ils se raccrocheraient à la dernière mâchoire du dernier requin des Caraïbes. Mais dis-moi, comment il t'a recruté, Fidel ?

– Recruté ? Tu sais qu'tu m'fais rire, toi ? Pourtant faut s'lever tôt, j'te jure… Tu f'rais mieux de relire un peu Clausewitz au lieu d'te branler sur Tabata Cash… Mais c'est pas lui qui m'a recruté, banane ! Parce que s'il compte sur ses *talibanes* impubères pour sauver Cuba, genre Felipe Perez Roque, Otto Rivero Torres ou Hassan Pérez Casabona [1] le judoka dialecti-chien, il est mal barré pour affronter le troisième millénaire, le *Comandante* ! C'est moi qui l'ai recruté, ça fait comme une petite différence… Lui, il pense le contraire, grand bien lui fasse. Remarque, l'un dans l'autre, chacun s'y retrouve, comme quoi, on a beau prêcher la cyber-révolution, on en revient toujours au compromis historique de proximité. Mais y aura pas de troisième voie, ah ça, non ! Faut pas brûler les étapes, non plus. Tuez-les tous, Dieu reconnaîtra

---

1 Respectivement ministre des Relations extérieures cubain, premier secrétaire de l'Union des jeunes communistes et président de la Fédération estudiantine universitaire. Ce dernier a la réputation de ne pas être un orateur d'une grande subtilité et il parsème ses discours d'expressions sportives relatives au judo, son sport favori.

les Siens, c'est bien joli sur le papier, mais dans la pratique…

– Et Ben Laden, alors ? Il se débrouille pas trop mal dans le genre table rase, non ? Si j'ai bien compris ton optique, t'es assez proche de lui, finalement ? Pourtant, t'as soutenu Uncle George en Irak, Non ?…

Dante se décomposa.

– Bon, je crois qu'il est tard, Gabriel. Tu m'affliges un peu, là… On en reparlera demain, quand les neurones se seront reposés. Je vais me coucher. *Buenas noches, Gabrielito.*

– *Buenas noches.* Et vive la neuromatrice, hein !

– Tu crois pas si bien dire. On a tous une colonie de puces greffées dans la tête, le tout, c'est de les activer avant de crever. Si tu veux appeler ça l'inconscient, c'est ton problème, *hombre*. Allez, fais pas cette tête, Gabriel. Demain, je te ferai un petit cours de rattrapage informatique, on ira se faire péter le MP3 au Silicon Mojito avec Fidel… Demain est un autre jour, et ça m'étonnerait que l'île ait bougé de place, non ?

– À moins que Fidel ne la fasse décoller dans la nuit ? Il en serait capable, tu sais. Il peut tout faire, ce mec.

– Ouais, un petit voyage sur Mars, ça m'dirait bien, on aurait tout notre temps pour bavarder en route, cool, non ? Six mois à se faire toaster la binne en apesanteur, Yoplait, thé à la menthe lyophilisé à volonté, je sens bien le truc, ouais… De toute façon, *the game is over on this putain de planet !* Allez, fils de ton père, fais de beaux rêves… Demain, c'est peut-être toi qui prendras les rênes de l'île merveilleuse…

27

Gabriel se réveille. Il a froid. Le torticolis. *Dans ma cellule cubaine.* Il a roupillé au moins deux heures, endormi dans une mauvaise posture. Autour de lui, une table, des restes de repas. Bouteilles de rhum vides. Moritz ronfle dans un fauteuil. Luis les a accompagnés pendant la *cena* et puis il est allé se coucher, après un énième Cuba libre. Un drôle de type, ce Luis. Rocker impénitent nostalgique des années 1970, directeur d'un hôpital, un peu déconnecté des réalités comme beaucoup d'apparatchiks du régime, ne comprenant pas les pauvres qui n'ont pas su profiter des largesses du régime, incapables de profiter du lopin de terre grâcieusement alloué par la Révolution et se retrouvant dans ce qui ne porte pas encore le nom de « bidonvilles » car à Cuba la solidarité sauve les meubles et empêche les gens de dormir dans la rue. Descendant de colons espagnols, un tantinet rétif à tout ce qui est héritage des rites africains. La *salsa*, le *son*, la *rumba*, les épigones de Compay Segundo n'ont pas grâce à ses yeux. Pas plus que la santeria, la religion yoruba apportée du Nigeria par les descendants des esclaves, très populaire dans l'île du docteur Castro, et qu'il considère comme une sous-culture. Mais sympathique malgré tout. Boute-en-train jovial, pas si heureux que ça malgré tout, peut-être. Son rôle dans la médiation castro-danto-gabrieliste reste à élucider. Un ami du vice-président, peut-être ?

Avec Moritz, ils sont restés à discuter et se sont endormis sur la terrasse. Des heures, ça a duré. Gabriel se dit que ce type est fou. Peut-être pas plus que lui, finalement. On est tous le fou de quelqu'un. Pedro lui avait sorti ça un soir. Un soir de beuverie dans les méandres de l'inéluctable. Il s'était dit ce soir-là qu'il avait de la chance de connaître Pedro, rien que pour ça, ça valait le coup d'avoir vu le jour… Dante et Lecouvreur. Tous les deux, ils font la paire. Ainsi donc, c'est pour ça qu'on l'a fait venir à Cuba ? Pour qu'il rencontre ce mec intarissable complètement cin-tré qui se prétend ministre de la Dialectique de Castro ? Comment croire à une chose aussi… colossale ? Pourtant il ne rêve pas. Depuis le temps, il aurait fini par se réveiller. Il se demande ce qu'il fout là. Il ne peut pas partir. Ils ne lui ren-dront jamais son vrai passeport. Ils peuvent le garder ici le temps qu'ils veulent. Pour quoi, il ne sait pas encore. Il ne saisit pas très bien quel rôle veut lui faire jouer Fidel. Il ne va pas passer le restant de ses jours à errer dans cette île maudite, sous cette identité stupide. Walker Bush. Il rigole dans sa barbe. Rigole bien, Gabriel, tant que t'es vivant, t'es pas mort… Ça pourrait finir par devenir dangereux. Il faut qu'il trouve une solution. Il doit bien y en avoir une, non ? Comment font tous ces gens pour tenir le coup ? Tous ne se contentent pas de rêves. Certains essaient de partir. Certains ont réussi, non ? Certains se suicident aussi. Champion du monde du suicide, Cuba. Juste après le Groënland dans les statistiques. La litanie défile dans sa tête. Les *balseros*, les *gusanos*, les *marielitos*, les homosexuels. Proscrits. Réduits à l'état de non-être. Sans parler de la liste interminable des amis de Fidel qui se sont foutus en l'air après des années de doute et de douleur insurmontable. Un chemin infesté de cadavres. Il pense à la terrible histoire de Reinaldo Arenas, contraint de se cacher. Coupable d'homosexualité. Coupable d'intelligence. Fidel le monstre. Serpent venimeux. Instinct de mort. Le tueur en série. Le froid le cloue. Que peuvent-ils attendre, maintenant ? La chute du régime ? Mais Fidel est increvable, cela peut encore durer longtemps. Et qui sait ce qui se passera après lui ? Raúl ? Le bruit court qu'il est très malade. Encore plus malade que Fidel ?… Il ne pense tout de même pas à Moritz Dante ! Pas lui, pas cet illuminé ! Fidel est fou, c'est entendu, mais tout de même pas assez pour mettre le destin de Cuba entre les mains de ce type ! Le ministère de la Dialectique, c'est de la poudre aux yeux. De la poudre de Perlimpinpin. Ce Moritz Dante ferait un excellent sous-marin des États-Unis. Peut-être même ne le sait-il pas ? La CIA a utilisé toutes sortes de stratagèmes pour venir à bout de Castro, pourquoi pas celui-là ? Plus c'est gros, plus ça passe. Qui sait si Fidel n'est pas entièrement conscient que ce type n'est qu'un porte-flingue déguisé en daube. Il lui laisse la bride sur le cou, le caresse dans le bon sens du poil, lui fait croire qu'ils vont faire affaire et, au dernier moment, couic ! À Santiago, Moritz. À Boniato. Va rejoindre les signataires du projet Varela. Va goûter aux cafards... Peut-être qu'il serait capable de le parachuter sur la base de Guantanamo, une ceinture de semtex autour du bide... Gabriel s'en fout. Après tout, c'est leurs oignons. De toute façon, il n'a pas demandé à venir ici. Ne se sent même pas touriste. Tout ce qu'il peut faire, c'est compatir avec le peuple cubain, c'est déjà pas si mal. La comédie a assez duré. Lui, ce qu'il veut, c'est prendre la poudre d'escampette. Quitter toute cette merde. Retrouver Odalia, l'arracher à ce cauchemar. Mais dans son for intérieur, il sait qu'il ne la reverra jamais.

Gabriel Lecouvreur rejoint sa chambre. Tourne tourne le ventilateur. Tourne tourne la Terre. Dans la chambre d'à côté, Moritz Dante ronfle comme un sonneur. Il repense à sa prophétie. *Demain, c'est peut-être toi qui prendras les rênes de l'île merveilleuse.* Il s'écrase sur le lit douillet. Il en écrase aussitôt. Demain, il filera à l'anglaise. Il trouvera bien une solution.

28

Gabriel était resté près d'une heure sous la douche tiède. Puis il avait pris son petit-déjeuner sur la terrasse avec Luis. Omelette au fromage, jus de mangue et café au lait. Son hôte l'avait briefé sur la conduite à suivre. Il était ici en *stand-by*. Interdiction de quitter la maison jusqu'à nouvel ordre, les ordres viennent de très haut, je ne peux pas t'en dire plus, *amigo*. Luis l'appelait *amigo* et non pas *compañero*. Son mystérieux hôte ne devait pas être très communiste. Peut-être était-il aussi coincé que lui. Qui sait si ce n'était pas un simple figurant, placé là le temps de son séjour, pour faire illusion ? Théâtre d'ombres paranoïde cubain. Luis le quitta, il avait à faire. Il lui demanda de ne pas s'éloigner du téléphone de la bibliothèque, sauf pour aller pisser. Pas besoin de t'occuper de tes bagages, on s'en chargera. *Bueno*, je suis ravi de t'avoir connu, Gabrielito. Ne m'oublie jamais. *No olvide*. Entre deux opuscules fidélistes, il dénicha un vieux numéro jauni du *Caïman Barbudo*, le journal satirique de la subversion anticastriste des années 1970, à l'époque des happenings où des artistes cubains faisaient le coup de poing, l'un d'eux allant jusqu'à conchier la Révolution totalitaire en déféquant sur la biblique *Granma*. Lorsqu'il avait tenté de faire une sortie dans le grand escalier, prétextant chercher les toilettes, un homme en uniforme du ministère de l'Intérieur avait gentiment secoué la tête et le doigt. Le type ne donnait pas envie de rigoler. Condamné à ne pas bouger d'ici en attendant le mystérieux Caballero. Il se demandait combien de temps ça allait durer. Gabriel fit un saut dans la chambre de Moritz. Plus de Dante. Disparu. Ses bagages n'étaient plus là, le lit était refait, le ventilateur tournait. Une odeur persistante de cannabis planait dans l'air.

Le téléphone de la bibliothèque sonna deux heures plus tard. Gabriel décrocha. *Tu es attendu en bas, compañero*. Il n'avait jamais entendu cette voix.

Il descendit le grand escalier. Plus de militaires à l'entrée. Trois Cubains en civil l'attendaient dans le jardin. Dans la rue, c'était l'ébullition. Quatre voitures de la Police révolutionnaire nationale barraient la rue, une vingtaine de mètres plus loin. Le long du trottoir bordant la maison coloniale, trois Mercedes noires aux vitres teintées étaient stationnées. Gabriel aperçut trois véhicules blindés légers de l'autre côté de la rue, devant une supérette. À part ce déploiement des forces de l'ordre, pas un passant. La rue était déserte. Gabriel reconnut un slogan révolutionnaire de l'autre côté de la rue, une enseigne d'un magasin d'électricité qu'il avait déjà vue après avoir visité le cimetière Colón. Il était bien dans le Vedado. Calle 23. La Rampa. L'un des Cubains en civil lui fit signe de s'avancer vers la première Mercedes. Quelqu'un ouvrit la porte de l'intérieur. Gabriel se retourna pour regarder une dernière fois la façade imposante de la maison coloniale. Il était évident qu'il ne reviendrait jamais ici. Il aperçut la silhouette de Luis sur la terrasse, derrière le grillage. Celui-ci lui fit un signe de la main tout en prononçant quelques syllabes. Gabriel crut lire « Cuba libre ». Lui aussi il ne le reverrait plus, il ne saurait même sans doute jamais qui était exactement ce personnage énigmatique. Moins touchant que le cheval fou Balthazar. Mais il allait lui manquer. Avant de s'engouffrer dans l'habitacle, il vit un des Cubains sortir du jardin avec son sac à dos et sa valise. Rien n'était laissé au hasard. Il prit place sur la banquette. Personne. La Mercedes démarra. Une vitre opaque le séparait de l'avant. Quelqu'un était assis à côté du conducteur. La voiture remonta la Rampa jusqu'à la statue de Che Guevara et tourna à gauche dans l'avenida de los Presidentes. Elle s'arrêta quelques blocs plus loin sur la droite – il entendit plusieurs portières claquer, des bruits de voix gutturaux, des coups de sifflets stridents –, puis repartit presque aussitôt. Arrivée au Malecon, elle prit à gauche. Gabriel aperçut la station-service Servicupet, l'hôtel Melia Cohiba puis le Riviera. Le convoi s'engagea ensuite dans le tunnel qui menait à Miramar, où il n'était jamais allé. Il renonça alors à suivre l'itinéraire, se tassa au fond du siège et attendit. Il se passa encore une dizaine de minutes avant l'arrêt du convoi.

La portière arrière gauche s'ouvrit. Un des trois hommes en civil se pencha et lui demanda de descendre. Les deux autres Mercedes étaient toujours là, mais celle de Gabriel était passée de la première à la dernière position. Le Cubain lui demanda de se diriger vers celle qui était à l'avant. Le convoi était encadré par deux véhicules blindés légers et quatre motos clinquantes de la police de la route.

La portière s'ouvrit alors qu'il arrivait dessus. Un Cubain lui fit signe d'entrer d'un geste de la main. Gabriel s'exécuta.

Cette fois, quelqu'un l'attendait bien sur la banquette.

29

D'abord, il ne vit qu'une ombre tapie dans le fond de l'habitacle. Un colosse, à en juger par la place qu'il occupait sur la banquette. L'homme portait un uniforme vert, une vareuse, une casquette sur la tête, une longue barbe blanche qu'il caressait du bout des doigts.

– Vous êtes ?…

– *Yo soy*, répondit une voix rauque.

Il avait beau avoir lu que ça se passait comme ça parfois, le truc du *stand-by*, les heures d'attente dans un appartement, l'heure H, les trois Mercedes, et enfin l'arrivée du maître, il n'arrivait pas à y croire.

– Fidel ? El Fidel ?

– *Yo soy Fidel*, répondit le colosse en se tournant vers lui. N'en déplaise à ce petit merdeux de Français…

– Excusez-moi, mais vous êtes le vrai ? Vous n'êtes pas… un sosie ?

– Il n'y a pas de sosie de Fidel, Gabrielito, gronda-t-il. *Nunca*. Je laisse les sosies aux Saddam de pacotille. *Fidel es unico*. C'est clair ?

L'homme se redressa sur la banquette, Gabriel le vit en pleine lumière. Et il vit qu'il ne mentait pas. *Oh nom de Dieu! Caballero… El Caballo! El Comandante… Je vais tomber dans les pommes… Ayuda me, Pedro…*

Fidel Castro.

En chair et en os.

Qui lui tendait la main.

Qui lui *serrait* la main – le tremblement ne lui échappa pas –, sa main à lui, Gabriel Lecouvreur, oh mon Dieu… Le temps avait fait son œuvre, certes. La barbe poivre et sel était plus clairsemée, seuls les sourcils avaient gardé leur ligne élégante. Les yeux cernés. Les lèvres un peu flasques. L'homme était devenu un vieillard. Mais c'était bel et bien lui. Fidel Castro Ruz.

Maintenant, il savait.

— *Bienvenido a Cuba, Gabrielito. Vamos*, ajouta-t-il en toquant à la vitre.

La voiture démarra aussitôt.

— Nous allons faire un petit voyage, Gabrielito, annonça Fidel Castro en français. *Hablas español?* ajouta-t-il en pointant fermement l'index sur la poitrine de son passager.

— *Hablo español, si.*

— Parfait. Ce sera plus facile en espagnol…

Gabriel était livide. *T'as vu ça un peu, Pedro?* Personne ne le croirait quand il raconterait ça. *Si tu reviens, petit, si tu reviens…* Le colosse lui empoigna l'épaule. Ses mains ridées, parsemées de tavelures, n'avaient rien perdu de leur puissance.

– Eh, tu ne vas pas t'évanouir, dis !

– Je… Je suis… Je suis très très…

– Très heureux ?

– Oui.

On va dire ça comme ça, songea Gabriel.

– Moi aussi, je suis très heureux de te retrouver, Gabrielito.

– De me *retrouver*, mais…

– Nous reparlerons de ça plus tard, dit Fidel en toussotant. Chaque chose en son temps. Alors, que penses-tu de ce Moritz Dante ?

L'homme le regardait fixement. Il attendait. Gabriel reprit son souffle.

– Je peux parler franchement ?

– Non seulement tu peux, mais tu dois. Analysons ça, veux-tu.

– Très bien. Je pense qu'il est complètement illuminé mais totalement sincère. Tout ce qu'il dit, il le croit. Si la question est : « Ce type est-il envoyé par la CIA ? », ma réponse est non. Je peux me tromper, bien sûr…

– Il ne faut jurer de rien, Gabriel ! *Dixit* Alfred de Musset. Tu vois, il m'a donné ses tics de langage, ajouta Fidel d'un ton jovial qui sidéra Gabriel. Je suis heureux de voir que tu es un garçon intelligent, on ne m'a pas menti, c'est bien… Bien, analysons ça… Depuis que je lui ai dit qu'il ferait un très bon ministre de la Dialectique, il m'inonde de courriers électroniques ! Il m'a envoyé cinq pages cette nuit, je n'ai pas lu jusqu'au bout… Tu ne connais pas sa dernière lubie pour sauver Cuba ?

– Il m'a parlé d'une escale en Israël, mais je n'en sais pas plus… Une histoire farfelue de voyage dans l'espace…

– Ce qu'il m'a raconté cette nuit est beaucoup plus sérieux. Et beaucoup plus effrayant. Analysons ça… Il pense que la paix ne régnera jamais en Galilée et, comme on ne peut pas larguer une bombe atomique sur les Palestiniens car ce serait la mort immédiate de l'État d'Israël, il propose que les juifs abandonnent la terre Sainte source de tous les dangers pour s'installer à Cuba. Il appelle cela je ne sais plus comment, la Méta-Diaspora, quelque chose comme ça… Il pense qu'avec leur puissance financière, les juifs redresseront notre pays. En échange, Cuba leur offrira un vie meilleure, sous la protection des États-Unis proximitifs…

– Et que fait-il des Cubains ?

– D'après lui, il y a de la place pour tout le monde.

Fidel Castro donna un coup de poing sur l'accoudoir qui les séparait.

– Cuba une colonie juive ! Hérésie ! Nous avons chassé les Espagnols, les Étasuniens, ce n'est pas pour que les juifs… (Une violente quinte de toux l'obligea à se calmer.) Mais je ne t'ai pas fait venir pour te parler de Moritz Dante, Gabriel… Je m'en fous de ce type ! Il est fou, c'est juste un bouffon… C'est la façade. Je ne voulais pas que les autres se doutent de quelque chose… Je t'ai fait venir pour te parler de toi…

Le vieillard appuya son index droit sur le plexus de Gabriel.

— De moi ?

— Oui, de toi. Je suis vieux, tu sais. Je suis très malade. Il est temps pour moi que tu saches la vérité. Il n'y a pas de *tecnica* dans cette voiture, tu peux tout dire et tout entendre…

Fidel prit un épais portefeuille dans la poche de sa vareuse et en tira une photographie. Gabriel aurait donné cher pour connaître tous les secrets contenus dedans. Il lui tendit la photo. Une femme d'une vingtaine d'années, très belle, en robe légère, sur les marches d'une maison. Elle tenait dans ses bras un bébé.

— Tu reconnais cette femme ?

Gabriel examina le cliché. Tétanisé. Impossible de dire un mot. Cette photo, *il la connaissait*. Fidel se remit à tousser violemment.

— C'est… C'est… On dirait ma mère… Elle est morte quand j'avais quatre ans, je me souviens très peu d'elle.

— Eh bien, *c'est* ta mère.

— Vous… vous… vous avez connu ma mère ? balbutia Gabriel.

Fidel libéra quelques glaires qu'il cracha dans un mouchoir.

— Je pourrais te dire que je l'ai connue, oui, déclara-t-il d'une voix tremblante. Je pourrais même te dire que j'ai fait l'amour à cette femme sur la banquette arrière d'une Buick, ça m'est arrivé, tu sais… Mais ce n'est pas la vérité…

Cette fois, il est définitivement *loco*, marmonna Gabriel. Il faut l'arrêter. Il jeta un coup d'œil par la vitre. Ils étaient à présent sur une autoroute. Il n'y avait aucune circulation. Probable que la police avait dégagé la route pour laisser passer le cortège officiel.

– Je ne comprends pas. Comment avez-vous eu cette photo si vous ne l'avez pas connue ? Qui est ce bébé ?

– Ce bébé est le fils de ta mère, Gabrielito.

– Vous voulez dire que j'ai… un frère ?

– Je n'ai pas dit ça, Gabriel.

– Une sœur, alors ?

– Le fils de ta mère n'est pas forcément ton frère ou ta sœur.

– Mais…

Fidel Castro éclata de rire.

– Le fils de ta mère se trouve à côté de moi…

– Je ne vous crois pas.

– Tu mettrais ma parole en doute, espèce de petit imbécile ! Le bébé de la photo, c'est toi, Gabito. Mais cette femme n'est pas ta mère.

La sentence le cueillit comme une flèche en plein cœur. *Oh non ! Pas ça…* Fidel peinait à maîtriser sa colère. Il toussa encore, une longue quinte, de plus en plus rauque. Il reprit au bout d'une petite minute, tandis que Gabriel retenait ses larmes.

– Je vais tout te raconter, Gabito… Tes parents sont venus en vacances à Cuba en 1959. Avec leur ami Pedro. Ton parrain. Toutes mes condoléances, je sais que ça a été très dur pour toi.

Les métèques dont lui avait parlé Gérard en connaissaient long sur lui. Gabriel comprit qu'il valait mieux de ne pas interrompre le vieillard. De toute façon, ce qu'il allait lui raconter le laissait tellement baba qu'il n'avait plus la force de le contrarier.

— Ta vraie mère s'appelle Marita. Marita Lorenz. Ce nom-là te dit-il quelque chose ?... Tu ne dis rien, je prends cela comme un aveu... Il paraît que tu as lu beaucoup de livres sur mon pays avant de venir à Cuba, c'est bien... Analysons ça... Tu es né le 15 octobre 1959 dans une chambre de l'hôtel Habana Libre.

— Je suis né en 1960 à Paris, sanglota Gabriel. Qu'est-ce que vous racontez !

— C'est ce qui est écrit sur tes papiers, mais ce n'est pas la vérité. Tu es le fils de Marita... Ah, je l'ai aimée, cette chienne ! Elle a essayé de me tuer, mais elle n'a pas eu le courage. On ne tue pas Fidel...

— Je suis né le 22 mars 1960 à Paris, répéta Gabriel.

Castro leva la main sur lui. La gifle mourut à quelques millimètres de son visage.

— *A callar !* Laisse-moi terminer, petit morveux ! Marita serait morte si ce crétin de Camillo Cienfuegos ne lui avait pas sauvé la vie... Il a voulu me tuer, mais on ne tue pas Fidel.

Gabriel massait machinalement sa joue, tout en écoutant celui qui se prétendait son père. La main de Fidel n'avait fait que l'effleurer mais il l'avait vraiment sentie.

— Je voulais garder l'enfant mais la vie de cette chienne ne valait pas une balle de revolver. Ce petit merdeux de Français a raconté des horreurs sur cet accouchement dans sa biographie, il a raconté que le médecin accoucheur n'était pas un obstétricien mais un cardiologue. Ce batard me traite de boucher, il m'appelle « le Lider maximo » ! Tu as déjà entendu un Cubain m'appeler « Lider maximo », Gabrielito ? Personne à Cuba ne m'a jamais appelé *une seule fois* comme ça, c'est la CIA qui a inventé ce surnom stupide... On m'a traité de tous les noms, mais jamais « Lider maximo »... Je pourrais t'énumérer la liste, ajouta-t-il en se frappant la poitrine.

— Mais comment pouvez-vous... bafouilla Gabriel.

— Je suis très bien renseigné, tu sais. Je suppose que tu as entendu parler des CDR ?

— Oui, évidemment. J'ai même dormi chez un membre du CDR de Trinidad.

Un large sourire illumina le visage tourmenté du vieillard.

— Comment s'appelait-il ?

— Ernesto. Ernesto y Hortensia. Des gens merveilleux, vraiment.

— Sinon ils ne seraient pas au CDR et ne défendraient pas la Révolution, lança Fidel sur un ton de reproche.

– Ernesto est professeur d'histoire, Hortensia de mathématiques… Des Cubains magnifiques. Vous devriez aller les voir avant de… euh…

Gabriel s'arrêta un quart de seconde avant d'avoir prononcé le mot fatidique. Il se mit à rougir, il était en sueur.

– *Hortensia, como la flor ?*

Fidel sortit un épais carnet rouge de sa vareuse vert olive. Il le feuilleta lentement, ses mains tremblaient, puis il nota scrupuleusement le nom, après avoir longtemps hésité sur la page.

– J'essaierai de trouver un moment pour aller voir Hortensia et Ernesto, si Dieu me prête vie. Hélas, je crois que je n'ai plus beaucoup de temps devant moi. *Mira estas manos, hijito ! Y la cabeza !* Je suis obligé de tout noter sur un carnet pour ne pas oublier… Mais ils ne m'auront pas ! On ne tue pas Fidel ! Kennedy et tous les autres chiens étasuniens ont essayé de me tuer, mais je vais tous les enterrer, ah, ah ! Le petit John Kerry, tu vas voir comment il va me rendre Guantanamo !… Mais revenons à toi, Gabrielito… Cet enfant a été donné à une famille de révolutionnaires du M26, de braves ouvriers qui ne pouvaient pas procréer. Ces chiens de *bandidos* ont fait courir le bruit que cet enfant était mort. Il n'est pas mort puisque tu es en face de moi, ah, ah ! Ensuite, on a prétendu qu'il était devenu vétérinaire… Est-ce que tu as la tête d'un vétérinaire, franchement ?… Mais ces gens n'ont pas pu te garder, Gabrielito… Et tu sais pourquoi ? Ils n'ont pas pu te garder parce que ce chien de Cienfuegos t'a retrouvé. Il t'a placé dans une famille où tu es resté, des *bandidos* de Santiago. Tu y es resté jusqu'à l'âge de deux ans. Tu es reparti le 7 novembre 1961 dans les valises de Pedro ! Il était déjà très doué pour faire des faux-papiers, *el hombre* !

Gabriel était sonné. Il alla pour ouvrir la bouche mais Fidel l'en empêcha d'un index décidé.

– Chut, ne dis rien… Écoute… écoute comme cette île est calme… Tu entends ?

Gabriel tendit l'oreille. À part le ronronnement du moteur de la Mercedes, il n'entendait rien. Il secoua la tête.

– Cette île est calme, je te dis. L'ordre règne à Cuba… Je pourrais te raconter beaucoup de choses sur toi, Gabito, reprit Fidel en tapotant son carnet. J'ai mes petites fiches. Tout est là-dedans… Par exemple, tu as une tache de vin derrière le genou gauche. Je me trompe ?

Gabriel revoyait tata Marie-Claude lui frotter l'arrière du genou à la pierre-ponce. Tata et son obsession des mélanomes. Ça ne l'avait pas empêchée de partir d'un cancer du sein. Il ne put s'empêcher de crier :

– Mais… comment savez-vous une chose pareille ?

– J'ai la même que toi, mon petit. Et nous avons tous les deux trois grains de beauté identiques en triangle, sur le bras gauche. Ça, je peux te faire voir, ajouta Fidel en retroussant lentement sa manche gauche. Tu vois ?

Gabriel contempla les muscles distendus du vieillard gonflant le biceps.

– Quand je pense que ces bras ont tenu Ava Gardner ! murmura-t-il d'une voix pleine de mélancolie.

Gabriel retroussa sa manche à son tour. Pas de doute, il avait raison : il avait exactement les mêmes. Castro aperçut le A entouré d'un cercle sur l'épaule. Il ricana.

– Moi aussi, j'aime les Mercedes, mais je ne suis pas allé jusqu'à me faire tatouer l'emblème de Mercedes ! Celle-ci m'a été offerte par mon ami Hugo Chavez...

– Ce n'est pas l'emblème de Mercedes, protesta Gabriel.

– Ah oui ?

– C'est celle... de l'anarchie.

Le silence de mort qui accueillit sa remarque était éloquent. La respiration du vieillard se faisait de plus en plus rauque et sifflante.

– L'anarchie est la plus haute expression de l'ordre, Fidel, risqua Gabriel, s'acquittant *in petto* d'un signe de croix. *Dixit* Léo Ferré.

– Autrefois, je t'aurais fait fusiller sans hésiter pour cette parole, avoua Castro d'une voix lente et triste. L'ordre règne à Cuba, est-ce que tu as vu l'anarchie à Cuba ?...

– De toute façon, ces grains de beauté ne prouvent rien, éluda Gabriel.

Fidel pinça son fils par la peau du cou, comme une mère chatte le ferait de ses petits.

— Ma parole, mais tu es aussi têtu que Fidelito ! Ne me dis pas que tu es trotskiste…

Gabriel secoua la tête en grimaçant.

— Je pourrais encore te tuer de mes propres mains, tu sais, ajouta Fidel en le repoussant au fond de la banquette. J'ai la preuve formelle de la paternité. Pendant que tu étais endormi à l'aéroport, on t'a fait un prélèvement d'ADN. Nous avons le même code génétique. Tu me crois, maintenant ?

Gabriel pensa très fort à Pedro. Pedro revenant à Cuba pour le chercher, bébé. Le ramenant à ses parents adoptifs après avoir imprimé des faux papiers. Et ensuite, il n'avait pu s'arrêter… Et l'impossible arriva : il se mit à croire à cette histoire. Le Poulpe était le fils de Fidel Castro, voilà pourquoi il était aussi impulsif, aussi sanguin, aussi retors. Aussi coureur. Aussi lâche que lui ? Aussi salaud aussi ?… Une seule chose clochait : *comment Fidel Castro s'était-il procuré cette photo ?*

— Tu es l'un de mes dix fils, Gabriel, reprit-il en tapotant son carnet. Tout est là-dedans, *hijo*. La totalité de ma parentèle. Neuf fils, et beaucoup plus de sœurs. Ainsi que le nom de leur mère, la couleur de leurs yeux, de leurs cheveux, j'ai tout noté… Fidelito, mon aîné. Alexis, Alexander, Alejandro, Antonio y Angelito, les cinq fils de Dalia… Gabrielito. Ah, il en manque trois, j'ai un trou de mémoire…

– Vous voulez dire que dans ce carnet…

Fidel se mit à rire. Son rire fut aussitôt emporté par une quinte de toux homérique. Gabriel attendit la fin de la tempête.

– Ma ventoline. Cet idiot d'Eugenio a oublié de me donner ma ventoline. Il y a longtemps que j'aurais dû me séparer de ce carabin… Pardonnemoi, *hijo*, je m'emporte. Comme je te disais, j'ai tout noté, oui. Toutes les chiennes lubriques que j'ai engrossées, elles sont toutes là… Ah, ah, je te choque !

– Pas du tout, je…

Aussi lâche que ton père, oui.

– Mais si, je le vois bien ! Ne fais pas ta sainte-nitouche, tu me fais penser à Raúl… J'ai également noté toutes celles que j'ai baisées, *compañero*. Il n'en manque pas une. Autrefois, tout cela était répertorié dans ma tête, mais je perds la mémoire, c'est pour cela que je me suis décidé à tout consigner dans ce carnet… (Le vieillard leva une main tremblante sur son front tavelé.) Tout fout le camp… Les paroles s'envolent, les écrits restent. Si je te disais tout ce que j'ai copié dans ce carnet…

– Comment avez-vous eu cette photo ? demanda Gabriel.

Le vieillard ne l'entendit pas. Il entreprit de réciter, devant un Gabriel halluciné, la liste de ses petites lubies. En plus du nombre de femmes qu'il avait honorées, il avait noté celles qui s'étaient refusées à lui, celles qu'il avait forcées, celles qui ne l'avaient pas fait bander, le nombre d'endroits différents où il avait dormi (ça se chiffrait en milliers, il en avait certainement oublié), le nombre d'enfants dont il était le parrain, d'hommes et de femmes à qui la Révolution avait sauvé la vie, ceux qui l'avaient perdue pour elle, ceux qu'il avait fait exécuter, ceux qui étaient morts en prononçant son nom (qui le maudissant, qui le bénissant), le nombre de fois où il s'était agenouillé pour prier, où il avait prononcé le nom du Christ, où il avait prononcé le nom du Che, le nombre de discours qu'il avait prononcés, le nombre d'heures, de minutes, de secondes, les nuits blanches de rhétorique au palais de la Révolution, dans la Sierra Maestra, à Cayo Piedras, ces heures de sommeil arrachées à la mort, et aussi les litres de lait qu'il avait bus, le nombre de fois où il avait rêvé qu'il tuait le président des États-Unis, presque aussi élevé que le nombre de tentatives d'assassinat auxquelles il avait réchappé, le nombre d'agents de la CIA qu'il avait démasqués...

Castro s'arrêta tout à coup. Sa respiration était forte. Il fit claquer le carnet sous le nez de Gabriel éberlué.

— Tu t'endors, *hijo*. Tu es fatigué ?

— Je... un peu, oui. Je m'excuse.

— Eh bien, il faut te ressaisir, je n'aime pas les héros fatigués, tu sais. La fatigue et le rire sont les chancres de la Révolution. Tu m'as demandé tout à l'heure comment j'avais eu cette photo... Tiens, je te la donne, elle est à toi...

Gabriel prit la photo, sa main effleura celle du dictateur. Un frisson s'empara de lui. Glacial. Il voulut la retirer mais Fidel la garda et la serra très fort. Le vieil homme colla sa bouche sur son oreille gauche, Gabriel sourit, il était assis à la droite du père, comme dans les Écritures. Il sentait sa respiration irrégulière, le souffle chaud de son haleine de vieillard qui retient la vie encore un moment, sans savoir s'il ira jusqu'au bout. Gabriel avait la chair de poule. Il pensa à Odalia, à Éléonore, à Enorah et à toutes les femmes qu'il avait aimées. Il ne reverrait plus jamais aucune d'entre elles. Comment le dictateur pourrait-il lui laisser la vie sauve après cette terrible révélation ?

Il avait essayé de s'affranchir de la poigne de Castro mais celui-ci attendit d'en avoir fini avec sa confession pour lui lâcher enfin le bras.

– Pourquoi ? demanda-t-il. Qu'attendez-vous de moi exactement ? Vous ne m'avez pas fait venir à Cuba uniquement pour me raconter ces horreurs ?

– Tu as été magnifique, Gabrielito. Nous avons semé de multiples embûches sur ton chemin mais tu t'en es toujours admirablement tiré… Tu as fait la preuve que tu étais un homme sain. Tu es presque Cubain, à présent, mais il te reste une lourde tâche à accomplir… Si tu veux bien être utile à la Révolution, bien entendu… Je ne veux pas te forcer la main…

Ce disant, il lui lâcha enfin la main. Quelques secondes plus tard, *l'Internationale* retentit dans l'habitacle, jaillissant de la poitrine du dictateur. Castro ramena un téléphone cellulaire des profondeurs de sa vareuse. Il décrocha.

– Excuse-moi, *hijocito*.

Il lança quelques mots dans l'appareil et raccrocha.

– Nous sommes bientôt arrivés. Nous allons nous séparer. Nous nous reverrons bientôt, ne t'inquiète pas…

– Vous n'allez pas me croire, mais j'ai la même sonnerie sur le mien, fit Gabriel.

La porte de la Mercedes s'ouvrit. Un homme âgé en uniforme vert olive et casquette, moustache blanche, très bronzé, pencha la tête par la vitre.

– *Todo esta bien, Fidel ?*

– *Muy bien, Humberto. El niño es un bueno taliban.*

– *Muy bien, Comandante, muy bien.*

Fidel Castro défroissa sa vareuse d'un geste de la main. Il posa un pied hors de la Mercedes et se tourna vers Gabriel en brandissant son Nokia.

– Je dois te faire un aveu, Gabriel. Ce téléphone est le tien. Nous te l'avons emprunté à l'aéroport. Je te félicite, tu as bon goût.

– Mais…

Fidel mit un second pied dehors et lui fit un signe de la main.

– Que dois-je faire pour la Révolution ? demanda Gabriel.

– Quelque chose de très facile, tu verras. Ne te fais pas de souci. *Hasta luego, Gabrielito.*

La portière se referma. La Mercedes démarra aussitôt. Gabriel constata qu'elle roulait beaucoup plus vite que pendant tout le trajet avec le *Comandante*. Il frappa à la vitre de séparation.

– Eh, qu'est-ce que vous faites ? Où m'emmenez-vous ?

Ils vont me tuer, pensa-t-il. Il songeait à tous ceux que Castro avait sacrifiés sur l'autel de sa célébration, voire assassinés. Camillo Cienfuegos, Ernesto Che Guevarra, Arnaldo Ochoa, Tony de la Guardia, José Abrantes… La liste était longue.

On peut faire toutes sortes de choses pour la Révolution, y compris mourir. *Quelque chose de très facile, tu verras.* Après tout, songea Gabriel, mourir n'est peut-être pas la pire des choses. *Dixit* Pascal Dessaint [1]. La mort a ceci de particulier qu'elle emporte les souvenirs. Les merveilleux comme les plus atroces. Celui que Fidel avait fait remonter à la surface avant de descendre de la Mercedes, d'une voix lasse, qui ne laissait transparaître aucune trace de remords, était à classer dans la deuxième catégorie. Celui-là, il n'avait pas eu besoin de consulter son carnet pour se le remémorer.

---

1 *Mourir n'est peut-être pas la pire des choses*, Pascal Dessaint, Rivages (copinage de l'auteur).

— La photographie de ta mère était dans la boîte à gants de la Simca 1000 le jour où ils ont eu cet accident de voiture. Elle m'a été rapportée par un certain Jacques Vergeat, ancien membre de l'OAS réfugié à Cuba en 1962. C'est lui qui a tué tes parents adoptifs, petit. Il ne faut pas lui en vouloir, ça n'avait rien de personnel, il n'a fait qu'exécuter les ordres. Quinze ans plus tard, les Services secrets cubains l'ont envoyé en France. Il t'a retrouvé, il t'a pisté. Comme c'est un homme particulièrement tordu, il a longtemps joué au chat et à la souris avec toi. Tu étais tellement persuadé de représenter une menace pour l'État français que tu as cru à cette couverture insensée. Pauvre Gabriel. Les Renseignements généraux ! Ma parole, tu es aussi paranoïaque que moi, mon fils, ah, ah !

Gabriel Lecouvreur pleurait en silence.

La Mercedes roulait à vive allure depuis près d'une heure. De temps en temps, elle virait brusquement sur le côté, probablement pour éviter des nids-de-poule. Où l'emmenaient-ils ?

30

Le Capitole.

La Mercedes l'avait déposé devant le Capitole. Une dizaine de touristes étaient assis sur les marches, profitant du soleil printanier qui brillait sur la capitale. Ils lui avaient rendu son sac à dos, il ne manquait rien, apparemment. Que faire ? Fidel Castro ne lui avait laissé aucune instruction. Quelle importance, ils pouvaient le retrouver n'importe où, n'importe quand. Avec sa puce GPS nichée dans sa tête, il ne pourrait pas leur échapper. Il se dit qu'il était fou, qu'il avait dû rêver, un truc pareil n'était pas *possible*. Il fit quelques pas vers le monument, serrant entre ses mains le carnet que…

Gabriel s'immobilisa tout à coup, jeta un œil incrédule au carnet. *Le carnet rouge que Fidel Castro avait oublié sur la banquette arrière de la Mercedes*. Oh, putain de Dios !

Il s'apprêtait à le feuilleter lorsqu'il entendit dans son dos :

— Nick ! Nick… Nick Walker !

Il leva la tête. Juste le temps de planquer le carnet dans son sac à dos.

— Balthazar. Putain… J'croyais pas que j'te reverrais un jour.

— Je t'ai cherché partout, *shit*, je croyais plus jamais revoir toi. Je me dis Nick Walker fermer la *bush*. Je te crois parti en France.

— T'es pas à l'école aujourd'hui, Balthazar ?

— Ce matin, j'avais une convocation du secrétaire du CDR. Je crois que j'ai fait une grosse connerie, Gabriel. Hier, j'ai fait une leçon d'histoire, j'ai raconté aux enfants que…

Le Cubain se mit à sangloter. Gabriel le serra dans ses bras. De deux choses l'une : ou bien il se trouvait ici par hasard et était sincère, ou bien il faisait partie du plan, auquel cas il était très bon comédien. Il n'y avait pas trente-six façons de s'en assurer.

— Dis-moi, Balthazar, si je te disais que je viens de passer deux heures en tête-à-tête avec Fidel Castro, est-ce que tu me croirais ?

— Je dirais il est encore plus *loco* que le *Presidente* ! fit Balthazar en riant.

Et si je lui montrais le carnet ? songea Gabriel. Non, il ne pouvait pas lui faire ça, c'était trop risqué, et pour lui, et pour Balthazar.

— Bon. Dis-moi, tu m'as bien dit que tu n'avais pas vu ta fille depuis six mois, c'est ça ? Et qu'elle habitait à Pinar del Rio…

— Si.

— Bon. Imagine que je te propose de t'emmener la voir, tu fais quoi ?

Balthazar se prit la tête entre les mains.

— Maintenant ?… Je dis il est encore plus *loco* que *loco* ! Comment tu dis en français ?

— *Loco de chez loco*. Eh ben, voilà, j'y suis. Où peut-on louer une bagnole dans le coin ?

— Il y a un bureau Transtur dans tous les hôtels de la place. Tu es sérieux ?

— Je suis. Je te retrouve dans trois heures à Las Terrazas del Prado. Si je suis en retard, tu m'attends. Je passe chercher Odalia. Ça roule ?

— Ça roule, Nick Walker. *Shit*.

*

Trois heures. Il avait juste le temps de faire un saut au Carribean pour interroger sa boîte. Louer une voiture à l'hôtel Plaza. Faire un plein de victuailles dans une épicerie en dollars. Passer prendre Odalia chez Cecilia. Si elle n'était pas là, il emmènerait sa tante. Et si la tante était absente, il tracerait la route avec Balthazar. Il n'arrivait pas à remettre la main sur le numéro de téléphone laissé par Odalia. Il appela Nurys, qui promit de transmettre le message, elle l'avait croisée le matin, elle était dans les parages. Pas besoin de passer au Carribean. Dans le hall, la potiche qui faisait le poireau en distribuant des sourires de vierge à l'enfant, en robe folklorique à froufrous – de celles que portent les Cubaines le jour de la cérémonie initiatique de leurs quinze ans – lui indiqua que le Plaza disposait d'un accès internet. Il y avait deux messages pour Movida26. Le premier était signé Caballero.

Heureux de t'avoir retrouvé, Gabrielito. Je vais avoir besoin de toi bientôt. Tiens-toi prêt. Padre.

Padre! Comment osait-il encore signer «*padre*» après lui avoir avoué sans vergogne qu'il avait fait disparaître ses parents! Gabriel dominait sa nausée. Une violente migraine.

Le second venait de Francis.

Cesare Battisti a été libéré, mek. La mobilisation a payé. Il passe en jugement le 7 avril pour savoir si la demande d'extradition de la Berlusconie est recevable. Je t'écris en écoutant France Inter. Télescopages. Trois trains ont sauté à Madrid, deux cents morts, Aznar accuse illico l'ETA. Une chômeuse du Nord fait la grève de la faim pour obtenir le maintien de ses assedic. Justine Lévy a sorti son second roman, elle était ce matin chez Pascale Clark. La fille à son papa va mieux, elle est sortie de son pathos, elle a ramassé les morceaux épars de son chagrin, elle est contente car elle s'est aperçue qu'elle «était capable d'imagination». Son papa, lui, soutient Sarkozy, la vie est belle, non? Reste à Cuba, Gabriel, profite de la vie, ne te presse pas pour rentrer au pays. Francis.

PS. Le bruit court sur le web que Moritz Dante aurait fait une tentative de putsch (avortée) à Cuba en compagnie de treize mercenaires québécois en colère armés de fusils-mitrailleurs en carton-pâte. Info ou intox?

Gabriel ne répondit à aucun des deux courriels.

L'employé de Transtur lui expliqua les subtilités de la location des véhicules terrestres à moteur à Cuba. On prend la bagnole avec le plein d'essence et on la rend réservoir vide, petite arnaque qui permet au loueur (l'État) de s'emplir les poches car personne ne prendra le risque de la panne sèche pour le rendre vraiment vide. Ce pays le surprenait chaque jour un peu plus. La voiture était une Hyundai, climatisée, confortable. Gabriel acheta pour quarante dollars de denrées périssables, rhum et bières, près du Capitole, puis il remonta la rue Galliano jusqu'à Concordia. Le carnet rouge lui brûlait les mains. Il l'avait transféré dans sa poche ventrale et ne cessait de se tapoter le bide pour être bien certain qu'il était toujours là. Qu'allait-il faire de ce bidule ? Miracle, la tante et la nièce étaient là toutes les deux. La valise d'Odalia fut prête en cinq minutes. Sa tante aurait aimé venir mais elle avait des problèmes importants à régler, le troc de son appartement, un rendez-vous crucial avec l'avocat chargé d'accélérer la transaction. Et de prélever sa commission. Gabriel avait longuement hésité à lui confier le carnet et s'était finalement résigné à l'emporter avec lui. Il n'avait pas le droit de la compromettre avec cette bombe à retardement qui risquait de l'envoyer en prison pour le restant de ses jours.

Balthazar les attendait devant Las Terrazas, il lisait un roman en français, *Lili*, de Daniel Arsand, qui lui avait été donné la veille par un touriste français. Pour tout bagage, un sac de voyage bourré à craquer, un autre contenant les précieuses chaussures. Il rayonnait de bonheur et prit le volant. La migraine de Gabriel avait disparu. Ils longèrent le Malecon d'est en ouest. Puis ce fut Miramar, le quartier résidentiel des ambassades et des clubs pour touristes huppés et Cubains friqués, grandes maisons mastuvumalibu, larges avenues à l'américaine plantées d'arbres exotiques. Ils avaient dû passer par là dans la Mercedes avec Fidel. Il leur fallut une demi-heure pour quitter la capitale, il n'y avait pas le moindre panneau indiquant la direction de Pinar del Rio mais Balthazar connaissait la route comme sa poche. Des paquets d'autostoppeurs s'agglutinaient à la sortie de la ville. L'autoroute à six voies était quasiment déserte, mais les nombreux nids-de-poules rendaient la conduite périlleuse. Balthazar, les yeux fixés sur la route, était silencieux. Odalia, assise sur la banquette arrière à côté d'un vieil homme endormi qu'ils avaient embarqué à la sortie de La Havane, chantait des airs romantiques cubains, souriant à Gabriel qui ne lui avait pas encore donné le moindre dollar. Et crevait d'envie de jeter un œil sur le carnet rouge de Fidel. Les gens faisaient la *botella* à l'ombre des piles de ponts. Des grappes de Cubains attendaient des camions qui les emportaient vers des destinations mystérieuses. Tous les quatre ou cinq kilomètres, un vendeur planté sur le bord de l'autoroute, surgi de nulle part, irréel, proposait du fromage, des mangues, des gousses d'ail… Un adolescent tenait à bout de bras un poulet vivant. Gabriel était halluciné. Il demanda à Balthazar de s'arrêter, il lui fallait ce poulet. Ils firent provision de fruits et de fromage, mirent la bête dans le coffre et piqueniquèrent devant un immense portrait de Fidel en pied, avec l'inévitable slogan PATRIA O MUERTE, VENCEREMOS. Le vieil homme apporta sa contribution au repas, une bouteille de *ron* à assommer un banquet de légionnaires, et raconta des histoires sans queue ni tête, des *chistes* délirantes, prenant à témoin la statue de commandeur de Fidel. Ils l'abandonnèrent à l'entrée de Pinar del Rio et prirent la direction de Viñales, vers le nord, la mer. Le voyage avait duré quatre heures. Le long de la départementale cabossée, un foisonnement de Cubains faisant la *botella*. Ils montaient dans la Hyundai pour trois ou quatre kilomètres, et une autre tranche de vie prenait le relais. Adolescentes belles à croquer, femmes portant de lourds paniers, vieillards au regard hagard, collégiens allant à l'école, et partout des hommes à cheval avec *sombrero*, des paysans juchés sur des carrioles tirées par des bœufs, d'autres fauchaient le bas-côté à la machette, des *muchachos* qui leur faisaient coucou en riant. Une extraordinaire impression de vie se dégageait, tristesse et désillusion cubaine. La route de Viñales était magnifique, la végétation luxuriante, un horizon de *mogotes*, ces montagnes aux concrétions ocre qui donnaient au paysage une allure de Far West. La petite ville, nichée dans son écrin de verdure, s'étalait le long d'une rue principale. Gabriel était ému, et son émotion était aussi celle d'Odalia et Balthazar. Plusieurs fois, il avait failli tout leur dire. *Arrête ton char, Balthazar, j'ai un truc pas banal à vous raconter, les amis. Je suis le fils de Fidel Castro !* Mais à quoi bon rompre le charme ? Inutile de mettre davantage leur vie en danger, elle l'était bien assez comme ça. Et comment auraient-ils pu croire de telles billevesées. Leur montrer le carnet rouge ? Il n'arrivait pas à s'y résoudre. Qui sait si Fidel ne l'avait pas abandonné à dessein ?

— Ce putain de pays est quand même vachement beau ! s'épatait Balthazar en battant la mesure sur le volant. Si seulement cette île pouvait s'envoler, *shit !* Une fusée !

31

Les parents et la grand-mère de Balthazar vivaient dans un hameau situé à mi-chemin entre San Andres et Viñales, non loin de l'ancienne ferme mythique où Castro avait tenté une expérience de communisme total au début des années 1960. L'extase collectiviste. La fin de la propriété individuelle. Kolkhoze sous les tropiques. Même ton couteau à trancher le pain n'est pas à toi, camarade. Le grand-père de Balthazar faisait partie de ces paysans qui n'avaient pas supporté d'être coupés du monde, hommes de la terre sans racines, transformés en rats de laboratoire – Godard était même venu filmer la radieuse utopie –, et s'étaient rebellés. Comme tant d'autres, Isidorio Almeida s'était retrouvé dans le centre de rééducation créé par Che Guevara. L'icône des tee-shirts, le génie photogénique de la Révolution, était à l'occasion lui aussi capable de dévorer des vies humaines, mais ça, la légende ne le disait pas. Isidorio Almeida y était mort. Il était mort une deuxième fois, car l'expérience avait été soigneusement gommée de la geste castriste. La révolte viscérale de Balthazar était née dans les veines de ce grand-père descendant d'esclave sacrifié sur l'autel de la Révolution. Les parents de l'instituteur étaient, eux, des petits cultivateurs, survivant tant bien que mal sur leur lopin de terre, avec leurs deux cochons, leurs bœufs qui s'étaient substitués au petit tracteur soviétique aux pièces de rechange introuvables. À Cuba plus qu'ailleurs, la vie est plus douce à la campagne, il est plus facile d'y faire pousser de quoi se nourrir que sur un balcon ou une terrasse havanaise. Pour le reste, c'était toujours le même mélange de bonne humeur et de tristesse. Gabriel et sa hotte de victuailles fêté comme un dieu. Retrouvailles de Balthazar avec sa petite Maravelis en robe blanche et couettes fleuries. Balançoire. L'avion au bout des bras. Brouette dans l'herbe avec ses petits souliers vernis qu'elle ne voulait plus quitter. Roulades. Comptines avec Odalia. Éclats de rire enchantés. La fillette rayonnait et le soleil aussi rayonnait, qui dardait ses langues de feu sur la petite famille retrouvée et leurs invités.

Le soir, alors qu'ils allaient passer à table pour la *cena*, Balthazar prit Gabriel par le bras.

– Nick Walker Bush, j'ai petite surprise pour toi !

*

La surprise s'appelait Abelardo Dongolo. C'était un Noir de quatre-vingts ans à la barbe blanche, coiffé d'un calot en crochet. Toute sa vie, il avait mené de front son travail de menuisier et ses activités de *babalao*. Balthazar lui avait expliqué les arcanes de la Santeria, inspirée du syncrétisme vaudou haïtien. Il existait deux sortes de sorcier, le bon vaudou, désireux d'apporter le bon œil et le repos, et le mauvais vaudou, plus proche de la magie noire, toujours prêt à propager le mal. Abelardo faisait partie de la première catégorie. Première fois que Gabriel voyait un *babalao* en chair et en os, plutôt en os d'ailleurs, car il était d'une maigreur saisissante et arborait plusieurs colliers d'osselets. Une vingtaine de personnes étaient réunies dans la pièce en terre battue. Elles dansaient au rythme de tambours africains et de maracas, le rhum avait coulé à flots, ceux qui n'étaient pas éméchés étaient en transe et réciproquement. Au milieu de cette débauche d'ivresse, une femme en robe blanche se roulait par terre, en proie à des convulsions. Balthazar expliqua à Gabriel qu'il s'agissait d'un *toque de muertos*, destiné à exorciser cette créature possédée par un mort. Le *babalao* prononçait des incantations à la déesse Yemayà ; d'autres divinations étaient mises à contribution. La cérémonie atteignit son apogée lorsque la femme envoûtée se mit à marcher sur un tapis de braises, sans apparemment souffrir – on lui avait enduit les pieds d'un baume, assura Balthazar. Les tambours redoublèrent, l'assistance l'encourageait en frappant dans ses mains, un regain de folie semblait s'être emparé des danseurs nimbés de fumée. Gabriel fut pris d'un mouvement de panique, il avait envie de partir mais une force tenace et obscure le retenait. À la fin de la cérémonie, le *babalao* s'approcha de lui, posa ses mains sur son front, puis il lui demanda de s'asseoir et fit de même. Ses yeux étaient injectés de sang, il semblait exténué. Il ôta un de ses colliers fait de noix de coco et de carapaces de tortue et le lui passa autour du cou. Balthazar expliqua qu'il allait lui tirer l'*écuele*. Avec Abelardo, pas besoin de sacrifier un coq, il suffisait de jeter des coquillages, des graines, des petits os semblables à des esquilles de lapin. Après l'avoir aspergé avec un liquide puisé dans un flacon, le *babalao* étudia la position des objets en éventail sur le sol et lui expliqua qu'il devait être un bon père, un bon fils et un bon ami et que, s'il respectait ces préceptes élémentaires, alors il n'avait rien à craindre des fureurs de la vie. Il parlait espagnol avec un fort accent. Le roulement des tambours s'était apaisé, la plupart des gens avaient quitté la pièce. Odalia, assise en tailleur aux côtés de Balthazar, l'encouragea d'un sourire. Dieu que cette fille est belle, songea Gabriel avant de glisser, une heure et demie durant, dans un univers qu'il croyait révolu et qui se réveillait brutalement, celui de son enfance. Le sorcier explora les méandres de son passé, il parlait vite, il fallait faire un effort soutenu pour le comprendre mais une chose était sûre : tout ce qu'il lui raconta sur son passé était exact, à commencer par cette malédiction familiale qui revenait comme un leitmotiv. Sans que Gabriel ait jamais abordé le sujet, le *babalao* lui confirma qu'il était bien né à Cuba, qu'il y avait un père, un homme riche et puissant, tout autant vénéré que détesté, il lui parla aussi de son parrain dont les cendres reposaient à Cuba, de toutes ces femmes qu'il avait aimées, souvent mal, de son fils qui coulait des jours heureux en Espagne, *le pays de tes origines, Gabriel*. Pas un mot de sa mère. Mais la nouvelle qui le perturba le plus concernait l'accident de voiture qui l'avait rendu orphelin. Le *babalao* avait parlé d'une double malédiction qui planait dans sa famille alors qu'il était enfant, sans jamais citer le sort de ses parents. Gabriel avait du mal à respirer. Impossible d'imaginer qu'Abelardo Dongolo ait pu faire partie du complot. Et comment aurait-il pu deviner que, quelques années avant de rencontrer son père naturel à Cuba, il s'était découvert un fils, sur une autre île [1], plus petite que Cuba mais tout aussi belle et attachante ?

Gabriel Lecouvreur quitta le *babalao* sur les genoux, le cœur tout retourné, la tête à l'envers, Abelardo ne voulait pas d'argent en échange de ses invocations psychanalytiques. Il finit pourtant par accepter quelques dollars, après avoir tracé un signe de croix à l'envers sur son front afin d'annihiler les fluides néfastes de l'argent. La freudaine

---

1 Belle-Île. Voir *Parkinson le glas*, de Gabriel Lecouvreur, Le Poulpe, n° 234.

cubaine était bon marché, même si cela n'enlevait rien au prix de la souffrance. Lorsqu'il sortit dans la nuit au bras d'Odalia, il noya ses larmes dans la pluie battante d'un orage tropical, et le sexe chaud de la jeune fille engloutit son chagrin jusqu'au bout de la nuit.

32

Le lendemain, le soleil était revenu. Gabriel décida d'emmener la petite famille à l'hôtel Ranchero, un complexe situé en pleine nature, dans le coude d'une rivière, à la sortie de Viñales. Bungalows climatisés, piscine, chevaux. Balthazar était radieux, sa petite crevette n'était que sourire. La journée s'écoula lentement, entre piscine, cheval et concours de blagues cubaines sur les rochers, la bouteille de *ron* à portée de main. La gamine avait appris à nager dans l'eau douce des rivières, elle fendait l'eau comme un poisson. À cheval, c'était une amazone. Gabriel retrouvait sa fraîcheur, les messages de Caballero, la séance chez le *babalao*, le *toque de muertos*, les visions du sorcier, la petite île du fils, la grande île du père, la mort brutale de ses parents qui resterait à jamais un mystère, oublié, tout ça.

Le soir, ils allèrent boire un verre dans un bar à *musica* de Viñales. Orchestre de *salsa*. Les cinq musiciens étaient les plus beaux, les plus drôles, les plus virtuoses qu'il avait vus depuis son arrivée dans l'île. Maravelis était aux anges de voir le flûtiste souffler dans son instrument avec les narines. Elle voulut essayer à son tour et s'y cassa le nez. Ils burent avec eux jusqu'à trois heures du matin. Maravelis s'était endormie sur la banquette. Balthazar dansait avec une Canadienne d'une cinquantaine d'années qui avait jeté son dévolu sur lui, Cuba c'est aussi ça, des touristes d'âge mûr viennent acheter l'amour avec de jeunes Cubains à coups de dollars. De temps en temps, ils s'arrêtaient de danser pour s'embrasser, longs baisers fougueux, coups d'œil inquiets du père sur la banquette pour vérifier que la petite crevette ne se réveillait pas, tandis qu'Odalia enflammait la piste avec un rasta qui aurait pu être le frère jumeau de Yannick Noah. Entre deux *mojitos*, il avoua à Gabriel que la mère de la petite était partie avec un Italien alors qu'elle avait trois ans et il se mit à pleurer, ses larmes coulaient dans le petit verre, la Canadienne lui caressait la nuque, lui léchait l'oreille en riant, son rire léger comme l'air, elle n'était pas belle mais son visage était plein de grâce, et puis Balthazar s'en foutait, elle lui plaisait, il se mit soudain à rire, il annonça qu'il avait décidé de larguer son job d'instituteur, *shit*, de toute façon, après ce qu'il avait raconté aux gosses, le CDR ne le louperait pas. Candice lui avait proposé deux cents dollars pour passer un mois avec elle à Cuba, ils allaient partir avec la petite dans la Mercedes de location, faire le tour de l'île, aller à Santiago, à la baie des Cochons, à l'île des Pins, à Trinidad, vivre comme des princes et après, partir au Canada avec Maravelis, fini de fermer la bouche, *shit*, elle connaissait l'ambassadeur, les visas seraient un jeu d'enfant, elle était venue faire son marché, elle avait trouvé l'oiseau rare, Balthazar son issue de secours. Ils burent tous ensemble à la bonne nouvelle, des heures de rire et de *ron* et de *mojito*, ils continuèrent dans le bungalow, jusqu'à l'aube, extasiés, exténués.

L'oubli ne dura pas bien longtemps.

Le lendemain midi, pendant qu'ils prenaient le déjeuner, le maître d'hôtel vint le chercher. *Telefono*. Au bout du fil, un homme à la voix cauteleuse avec un accent de l'Oriente le pria de faire ses bagages et de se tenir prêt, on allait venir le chercher dans moins d'une heure. Fuir ? Retourner à la ferme ? Se réfugier chez le *babalao* ? Ça ne servirait à rien. Ils savaient où le trouver, ils pourraient le retrouver n'importe où, n'importe quand. Petit miracle de la puce. Il n'eut pas le temps de s'appesantir sur le problème. Vingt minutes plus tard, un hélicoptère se posait sur le parking de l'hôtel Ranchero. Deux Cubains en uniforme du ministère de l'Intérieur vinrent le chercher à l'accueil. Ils étaient nerveux. Gabriel fit ses adieux. La petite Maravelis ne voulait pas le lâcher. Elle voulait monter dans l'hélico. Gabriel donna une centaine de dollars à Odalia, c'était tout ce qu'il lui restait. Il savait qu'il ne la reverrait jamais, pas plus qu'il ne reverrait l'ami Balthazar.

— *Adios, Nick Walker.*

— *Adios, Mojito Gigolo. Vaya con Dios.*

33

L'appareil, un vieux Sikorski à la cabine lambrissée, se dirigea vers le nord, survola un moment le littoral, le vert corail, les palmiers, les champs aquatiques de mangrove, puis piqua brusquement plein sud. C'était la première fois que Gabriel montait dans un hélico. Ils survolèrent de magnifiques paysages, les bananeraies, les *mogotes*, les rivières, les plantations de tabac de Pinar del Rio, les champs de canne à sucre. La campagne de Cuba était jolie, vraiment. Le paysage se faisait plus aride au fur et à mesure de la plongée vers le sud. Il redevenait verdoyant à l'approche des côtes méridionales de l'île. Le voyage dura une heure. Gabriel n'ouvrit pas une seule fois la bouche, pas plus que le pilote et les deux hommes de la Sécurité qui étaient montés à bord.

*

L'hélicoptère avait atterri sur une petite piste bordée d'arbres. Deux mécanos en salopette s'affairaient sur un jet stationné près d'un hangar, sous l'œil vigilant de deux militaires. Les deux Cubains traversèrent la piste en direction d'un petit chemin qui descendait sur la droite, entre une rangée d'arbustes touffus. Ils ne le lâchaient pas d'une semelle, l'un d'eux portait son sac à dos. Le Sikorski redécolla aussitôt. Gabriel découvrit la maison au dernier moment, nichée dans le flanc d'une colline. C'était une villa blanche de deux étages, sans stucs et sans chichis et... elle était construite au bord de la mer ! Gabriel aperçut, en contrebas, deux vedettes qui mouillaient dans un petit port. Il n'en revenait pas.

Portes blindées, caméras de surveillance, l'intérieur de la villa manquait un peu de chaleur. Il se trouvait probablement dans une des nombreuses résidences-bunkers du *Comandante*. Deux des trois tableaux accrochés dans le vestibule corroboraient cette hypothèse : Hiéronymus Bosch. Bosch, le peintre préféré de Fidel. Gabriel s'arrêta devant la troisième toile : le *Dos de Mayo* de Goya. L'exécution. La souffrance muette des fusillés. *Passer par les armes*. Comme il détestait cette expression. Il s'approcha du tableau. Gabriel était suffoqué. Le choc. La dernière fois qu'il avait vu ces tableaux, ce n'était pas au Prado, ni dans une encyclopédie de peinture, mais chez Rosciolli. Dino Rosciolli le vieux fou raciste de Charençon-le-Plomb [1] qui peignait des tableaux

---

1 Voir *La Cerise sur le gâteux*, du même auteur, Le Poulpe, n° 12.

révisionnistes. Pendant quelques secondes, il se demanda si la toile de Goya était une copie du maître, ou une copie du copiste, qui transformait les fusillés espagnols en Noirs et démultipliait la souffrance des suppliciés mythiques de Goya. Castro n'avait jamais répugné à faire fusiller ses semblables, cela pouvait expliquer cette fascination pour les pelotons d'exécution. Mais comment expliquer l'adhésion à la haine raciste de Rosciolli autrement que par de la haine raciale ? Gabriel était sous le choc. Les mots de Balthazar sur le racisme ambiant à Cuba dansaient devant lui. L'île était noire à soixante-quinze pour cent, mais tout ce qui avait de l'importance dans le pays, la Révolution, les institutions, les instances officielles, les Forces armées, le conseil d'État, tout était dirigé par les Blancs, sous la tutelle de ce président à vie indéboulonnable, fils de colon galicien, plus espagnol que cubain, qui ne passait pas pour un chantre du métissage des races et ne laissait aux Noirs que les miettes du folklore, santeria, salsa, base-ball et autres incantations populaires. Mais de là à revisiter l'histoire, il y avait un pas... qu'il voulut franchir en s'avançant vers la toile pour vérifier la signature. Mais ses escorteurs lui firent signe de dégager.

*

Une minute plus tard, il était sur une terrasse, moins vaste et beaucoup plus ombragée que celle du Vedado, mais donnant sur la mer. Un type en treillis sniffait une ligne à l'aide d'une paille, affalé sur une table basse. Il releva la tête, les pouces dans les narines.

Moritz Dante.

– Décidément, on ne se quitte plus… Quelle bonne surprise !

– Comme tu dis, elle est bonne ! fit Dante en appuyant son index sur ses narines – il n'avait pas l'air plus surpris que cela de le voir. T'en veux ?

– Je touche pas à la coke, merci.

Dante éclata de rire.

– C'est pas de la coke, Coco.

– Tu rigoles ou quoi ?

– J'ai l'air ? Faut reconnaître qu'ici, c'est pas la brigade du rire. La drogue n'est pas très bien vue à Cuba, il faut bien faire quelques concessions. Farine de froment, noix de coco en poudre, digitaline, avec un soupçon de beurre d'érable, j'en ai rapporté un kilo de Montréal. Cocktail maison placebo, tout c'qu'il y a de plus bio. Tu devrais essayer.

– Et ça ne te manque pas trop ?

– Penses-tu. On a beaucoup exagéré les vertus de la cocaïne, tu sais. Personnellement, j'en suis revenu. Jésus ne prenait pas de cocaïne, ça ne l'a pas empêché de s'éclater et de faire son petit bonhomme de chemin…

– De chemin de croix, même ! gloussa Gabriel.

Dante serra les dents.

– Halte là, camarade. *No blasphemo !*

– Blasphème, blasphème…

– Tu serais capable de répéter ça devant le *Comandante* ?

Dante se mit à rire.

– Allons, je te charrie, *amigo*. J'ai eu une longue conversation hier soir avec lui, c'est pas la grande forme… Il m'a même avoué que sans la foi, il se serait déjà supprimé…

– Et tu y crois ? ricana Gabriel. Fidel gagné par la foi, c'est un peu gros, non ?

– Rien n'est jamais assez gros pour le Christ, fit Dante, l'œil soudain gourmand, et Gabriel comprit qu'il était irrémédiablement allumé. Regarde, moi, je me suis fait baptiser récemment. *I am born again Christian, man.* Le corps du Christ dans mes veines : *the best of the dope !*

– *The best of the daube*, ouais, gloussa Gabriel.

– T'es encore tout imprégné du scepticisme matérialiste. La route de la rédemption risque d'être longue pour toi, mon frère… Enfin, l'essentiel, c'est que tu aies fait le début du chemin… Alors, comme ça, toi aussi, tu as décidé de quitter la France ? T'as raison, *hombre*, ce pays est foutu. Paris est devenu invivable et l'Europe n'existe plus. Les islamistes ont pris les choses en main et tout le monde fait semblant de ne pas s'en apercevoir. C'est mort, tout ça, *hombre* ! Et je ne parle pas de l'Espagne. Treize bombes, deux cents morts, et hop, Aznar au rebut de l'histoire ! Viva Zapatero ! Au secours, revoilà les socialos ! Au train où ça va, les trouducs de la France foutue vont bientôt demander la libération de Saddam…

— T'aurais préféré la Phalange ? ricana Gabriel.

— Tout de suite le grand écart… Tu sais, Franco, c'est comme Pinochet, on a dit beaucoup de mal de lui, mais il n'a pas fait que des trucs négatifs…

— Tiens, je vais te montrer quelque chose, fit Gabriel, désireux de calmer le jeu. Assieds-toi, il risque d'y avoir des trous d'air.

Il sortit son passeport. Dante l'examina sous toutes les coutures, bouche bée.

— Walker Bush ! Putain de dios ! T'es de la famille du grand homme ?

— À ton avis ?

— Tu l'as déjà rencontré ?

— À ton avis ?

Le visage de Dante s'illumina.

— Il l'a rencontré ! Il a rencontré le Sérénissime ! Putain, quel mec ! Quel cul ! J'ai demandé une audience à la Maison blanche, je me suis fait jeter comme un mormon… J'espère avoir plus de chance avec Jean-Paul II. Viens que je te serre dans mes bras, Gabriel ! Je sens que nous allons faire du bon travail ensemble…

Dante alla pour l'embrasser. Il aperçut le A tatoué sur l'épaule droite de Gabriel.

— C'est quoi, ce truc ?

— Anarchie vaincra ! gloussa Le Poulpe en levant le poing.

– T'es vraiment un comique, toi !

Dante remonta la manche droite de son battle-dress jusqu'à l'avant-bras et gonfla son biceps. Le mot OTAN apparut.

– Ça, c'est du tatouage, mec. J'en ai bavé des ronds de chapeau pendant la piqûre.

– OTAN en emporte le vent, ouais.

– J'espère que tu plaisantes, fit Dante, l'œil soudain aussi sombre que celui du Christ à l'agonie au mont des Oliviers.

– Mais ouais, mon Moritz ! Fallait y aller, au Kosovo, pour une fois on est d'accord… N'empêche que t'es pétri de contradictions, mec. Un jour, tu soutiens les musulmans de Bosnie, le lendemain tu veux zigouiller les musulmans des cités. Comme pragmatique, tu te poses un peu là !

– Je ne suis ni un pragmatique, ni un dogmatique, assura Dante. Je suis un dialecticien. Rien n'est statique. Tout change.

– Rien ne se perd, rien ne se crée, tout se transforme. *Dixit* Denis Papin.

– Je pencherais plutôt vers Lavoisier, fit le gourou québécois. T'as vraiment les couilles dans la caboche, Gaby !

– Ouais, ben, en attendant, mes couilles, j'aimerais bien les vider ailleurs. J'ai pas du tout l'intention de finir mes jours ici, moi. Les îles, très peu pour moi. D'ailleurs, j'ai le mal de mer…

– Mais qui te parle de naviguer, Gabriel ? Cuba est vaste. Il reste tellement de montagnes à gravir.

La voix semblait tomber des cieux.

Gabriel se retourna.

C'était bien lui.

Fidel.

La main fourrageant doucement dans sa barbe, le *Comandante* avait troqué ses bottines italiennes en cuir pour une paire de Reebok, et son treillis de campagne pour un costume de ville rayé, sans cravate. Il venait à leur rencontre. Il se déplaçait lentement, semblait exténué.

Les deux Français s'exclamèrent de conserve.

— *Comandante !*

Castro n'eut pas un regard pour son ministre de la Dialectique, qui venait pourtant de le saluer militairement. Il s'approcha de Gabriel.

— Dans mes bras, mon fils. J'ai envie de te serrer dans mes bras.

Et Fidel fit ce qu'il dit qu'il allait faire. Il serra son fils présumé dans ses bras, si fort que celui-ci crut sa dernière heure venue, et lui souffla dans l'oreille :

— José Marti était l'apôtre, tu seras l'archange, Gabriel. Toi seul sauvera cette île des démons du matérialisme. Je viens d'avoir mon ami Gabo [1]. L'autre Gabriel. Notre alliance a sa bénédiction. Tu es mon aile, et sur cette aile, je bâtirai mon Église… L'Église d'Alexandre le Grand !

---

[1] Fidel Castro fait allusion à son meilleur ami Gabriel Garcia Marquez, le dernier intellectuel de renom international à ne pas l'avoir « lâché » après la vague de répression et les procès d'avril-mai 2003.

Gabriel se frottait les yeux. Fidel relâcha enfin son étreinte et poursuivit :

– Gabrielito, demain, nous irons dans la Sierra Maestra. Je te montrerai l'oiseau le plus maladroit de la planète : le perroquet vert à deux crêtes et touffes rouges sous les ailes…

– Il délire de plus en plus, chuchota Dante à part lui.

Trois hommes accompagnaient Castro, qui les leur présenta. Le trentenaire qui le suivait comme son ombre, les yeux cachés par des lunettes noires, n'était autre que Carlos Valenciaga Diaz, son secrétaire personnel. Le prêtre en soutane à l'air pète-sec était son confesseur, le père Azorino. Quant au petit Asiatique sans âge rigolard qui fermait la marche, il s'agissait du docteur Trinh, son acupuncteur.

– Le docteur Trinh a changé ma vie, déclara Fidel en se frottant les mains. J'ai répudié Eugenio Hussein, je n'avais plus aucune confiance dans ce toubib de pacotille.

– Sage décision ! applaudit Dante. Hypocrite Hippocrate ! *Dixit* Derrida.

– C'est pas plutôt Raymond Queneau ? interrogea Gabriel.

– Bonjour-bonjour, *hombres*, fit le petit homme en souriant. Si vous avez des problèmes de sciatique ou de digestion, n'hésitez pas à m'en parler, je vous guérirai, hi, hi, hi ! Je tue les méchantes molécules et je coupe les kilos aussi, hi, hi, hi !

L'homme parlait français, avec un terrible accent vietnamien, et un air de se foutre de la terre entière.

– Vous êtes bouddhiste, docteur ? lui demanda Dante. (Voyant que celui-ci ne lui répondait pas, il se tourna vers le père Azorino.) Pourriez-vous entendre ma confession, mon père ? J'ai été baptisé le mois dernier, et j'aimerais bien communier pour Pâques, vous croyez que ça va être possible ?

– C'est que je viens juste de confesser Fidel, fit le prêtre. J'ai besoin de me reconstituer. Disons… dans une heure ?

– Tu ne t'es pas tué à l'effort, l'abbé, rigola Castro. C'est moi qui ai parlé tout du long. Tu peux bien accorder un peu de ton temps et de ta mansuétude à mon ami Moritz…

– Ce ne sera pas long, assura Dante. Et pour ce qui est de l'absolution, je n'ai pas trop péché… enfin, je crois…

Le père Azorino leva les bras en signe de protestation.

– Seul Dieu peut se targuer de connaître la vérité, mon fils.

– Bon, bon, ça va, l'abbé, lança Fidel, un peu irrité, en exhibant une carte postale qu'il tendit à Gabriel. J'ai un petit cadeau pour toi, *hijo*. Conserve-la, elle te portera chance.

C'était une image pieuse représentant un hologramme de Jésus ceint de la couronne d'épines. Le Christ ouvrait et refermait les yeux selon qu'on déplaçait la carte. Le secrétaire du *Comandante* et son confesseur avaient du mal à cacher leur consternation. L'acupuncteur, lui, riait aux éclats. Il lança en français :

– Jésus beaucoup aiguilles sur toute la tête, hi, hi, hi ! Mais pas guérir !

Castro le fit taire d'un claquement de doigts péremptoire et ordonna à ses trois acolytes et à Dante de le laisser seul avec Gabriel.

34

Fidel Castro et Gabriel Lecouvreur étaient installés côte à côte dans un petit salon cosy, à la lumière tamisée. Leurs fauteuils en rotin étaient séparés de quelques dizaines de centimètres, Gabriel pouvait sentir la respiration sifflante du vieillard. Sur une desserte, une bouteille de vieux rhum cubain, des rafraîchissements, une carafe de lait, un plateau de fruits, ananas, mangues, bananes. Dans un vase, cinq magnifiques roses rouges. Castro dégustait un verre de lait, Lecouvreur un jus de goyave.

— Ces roses proviennent du jardin de Dalia, déclara Fidel, le regard perdu dans le vague. On me les a apportées ce matin par hélicoptère. Cette confession m'a épuisé, le padre Azorino ne m'a rien laissé passer. Mais ça va bien… ça va bien, ajouta-t-il en dessinant des arabesques avec ses mains. Je ne sais pas ce qui m'a pris de faire appel à ce… Voyons… Analysons ça… Sans doute le… La…

Fidel s'arrêta brutalement de parler. Il se lissa pensivement la barbe pendant d'interminables secondes. Soudain, il releva la tête, son œil s'illumina.

– Crois-tu en Dieu, Gabito ?

– Vaste question, à laquelle il n'est pas facile de répondre, répondit Gabriel pour gagner du temps.

Fidel lui attrapa l'avant-bras, il serrait fort, le regardait droit dans les yeux. Gabriel repensa au sujet de philo du bac blanc. *On peut tout supporter, sauf le regard d'un homme.* Et celui d'un ogre, alors ? Il guettait sa réponse comme un fauve qui s'apprête à fondre sur sa proie.

– Et si je vous retournais la question ? lança Gabriel tout à trac.

Fidel fit le geste d'applaudir, lentement, petit sourire plein de lassitude, les yeux incandescents du vieux lion.

– Vaste question, à laquelle il est facile de répondre. Tu ne manques pas de culot, petit, tu me plais… Pourquoi crois-tu que je porte la barbe ? ajouta Fidel en passant la main dans ses attributs pileux. Parce que nous n'avions pas de rasoirs dans la Sierra Maestra ? En réalité, je porte la barbe comme Lui. Tout le folklore des *barbudos*, c'est venu après… Tu aimes Jésus-Christ, Gabriel ?

– Euh, je…

– Comment ne pas aimer le Christ ? C'était un homme sain, un bon petit moine-soldat. C'était un communiste, à sa façon. La multiplication des pains était le premier acte de rébellion contre le capital, tu sais ça ? Si tu avais vu la tête de Jean-Paul II lorsque je lui ai dit ça… Hélas, il était entouré de pleutres ! s'emporta Fidel. Quand j'étais enfant, on m'appelait le Juif parce que je n'étais pas baptisé. J'en voulais à la terre entière. Pendant longtemps, je me suis senti responsable de la mort du Messie… Je n'ai jamais beaucoup aimé les juifs, tu sais… C'est pour ça que je me méfie de Dante. Son idée de coloniser Cuba avec des *likoudniks* n'est pas si stupide que cela, mais je ne sais pas s'il est vraiment *sain*. C'est important, tu sais. Il m'a avoué qu'il s'était beaucoup drogué, que dans ses voyages intérieurs il communiquait avec les puissances extragalactiques… Qui sait s'il n'a pas été infecté par le virus de la CIA ?… J'aurais pu le faire fusiller, oui… Pourtant, la veille du jour où je l'ai rencontré, la Vierge del Cobre est venue me voir en songe pendant la nuit. C'était il y a deux semaines…

— La Vierge del Cobre ?

— Sainte, sainte, sainte marraine, murmura Castro en se signant trois fois. La première fois qu'elle m'est apparue, c'était le 2 janvier 1959. La Révolution venait de triompher. Après le discours de Santiago, j'ai passé la nuit dans son sanctuaire. J'étais si exalté que toute la nuit, j'ai prié.

Fidel s'aperçut soudain de l'énormité de son aveu. Il pointa le doigt sous le menton de Gabriel, appuya sur la pomme d'Adam et reprit doucement :

— Je n'ai parlé de cela à personne, même pas au père Azorino. Je te prierai de garder ça pour toi… Depuis, elle est ma protectrice. Et pourquoi serais-je le seul habitant de cette île qu'elle ne prendrait pas sous son aile [1] ? Je n'ai pas besoin de processionner en espadrilles pour lui prouver mon dévouement, moi !

Le dictateur s'était mis à crier. Gabriel sursauta.

– Laisse-moi te faire un aveu, Gabrielito… À chaque fois que le pays perdait confiance dans la Révolution, la Vierge de la Charité m'a aidé. Elle m'a toujours aidé… En 2000, elle m'a envoyé le petit Elian [2]. Le pays était aphone, nos compatriotes se décourageaient. Nous nous sommes battus, j'ai passé des nuits blanches à analyser tout ça, et les Yankis nous ont rendu notre petit *balsero*. Pendant des mois, les Cubains se sont soudés autour d'Eliancito… En 2002, elle m'a envoyé la dengue [3]. *Aedis aegypti* s'est abattu sur La Havane. Ce salopard de moustique voulait la

---

1 La Vierge de la Charité del Cobre est la marraine de l'île. Les adeptes de la Santeria la célèbrent sous le nom de Ochun, la déesse de l'amour.
2 Elian Gonzalez, enfant cubain retrouvé seul, naufragé, au large de la Floride, fut l'objet d'un bras-de-fer entre les États-Unis et Cuba. Après des mois de pourparlers, la Cour suprême américaine décida de le rendre à son père resté à Cuba. Sa mère était morte en mer. La communauté cubaine de Miami en garda une forte rancœur envers l'administration Clinton.
3 Une épidémie de dengue, propagée par les moustiques, s'abattit cette année-là sur La Havane. L'éradication du fléau fut le prétexte à une gigantesque opération de propagande médiatique.

mort de Cuba. Mais nous nous sommes battus, farouchement, les sulfateuses des brigades d'étudiants n'ont pas fait de quartier, et nous avons éradiqué le terrible fléau. Plus un seul moustique à Cuba, ah, ah ! (Fidel leva le poing serré.) *Patria o muerte !* L'année dernière, quand j'ai maté la chienlit des contre-révolutionnaires soudoyés par ces fils de putes de Miami, la Vierge a fait la sourde oreille. (Il plaqua ses mains sur ses oreilles.) Elle n'a pas plus levé le petit doigt quand ces chiens d'Européens nous ont lâchement abandonnés. Depuis…

Fidel s'arrêta tout à coup pour boire une gorgée de lait. Un sanglot dans la voix, il reprit :

– Depuis, je cherche. Nuit et jour, je cherche. J'implore la Vierge… Je suis perdu dans la mangrove… Et voilà qu'arrive Moritz Dante… Et si cet illuminé disait vrai ? Si ce petit gourou sioniste avait le remède pour sauver Cuba ?

Castro se signa et leva les yeux au ciel, mains jointes sous le menton.

– *Virgen del Cobre,* veux-tu que le peuple hébreu colonise la terre promise de Cuba ? Dois-je accepter cette humiliation pour sauver mon peuple ? Vas-tu me condamner à redevenir le Juif ? Dois-je me sacrifier ?… Tu me veux sur la Croix, c'est ça ? ajouta-t-il en écartant les bras. Qui veux-tu que je haïsse, cette fois ?

Le *Comandante* était prostré. Muscles du visage figés, yeux décavés, l'extase livide. Au bout d'un long silence, il lança un regard implorant à Gabriel.

— Tu vois, elle ne m'entend plus…

Sans transition, il prit la bouteille de vieux rhum sur la desserte et servit un verre qu'il tendit à son invité.

— Isla de Tesoro. Ce rhum est presque aussi vieux que la Révolution… Alors, qu'en penses-tu ?

Gabriel sirota, pensif.

— Fameux.

— Khrouchtchev adorait ce rhum, lança gaiement Fidel en se servant un verre. Alors, que penses-tu de l'idée de Dante ?

Gabriel but une gorgée pour se donner du courage.

— Je ne sais pas. Très franchement, je ne sais pas.

Le regard de Fidel se fit venin. Il lui donna une tape sur la nuque et but à son tour.

— Si tu veux gouverner cette île, il faudra être un peu moins indécis ! Tu ne crois pas…

Une terrible quinte de toux l'empêcha de continuer. Il recracha son rhum. Il était à deux doigts de s'étouffer. *Loco*. Cet homme était complètement *loco*.

— Gouverner ? Mais…

Castro but un grand verre de lait, s'essuya les lèvres d'un revers de manche, sa barbe souillée de flocons blancs. Après une courte hésitation, il se resservit une rasade de rhum qu'il liquida aussi sec.

— L'autre jour, je t'ai demandé si tu avais envie de changer de vie, tu n'as pas oublié. Analysons ça, veux-tu…

– Mais…

Le dictateur l'attrapa par le menton, les yeux coupants comme des dagues. La folie frappait les trois coups.

– Tu ne penses tout de même pas que je t'ai fait venir à Cuba pour baiser des *jineteras* !… J'ai longtemps cru que mon destin n'était pas de venir au monde pour me reposer à la fin de ma vie… Mais vois-tu, ces dernières semaines, je suis terriblement fatigué… Je perds la mémoire… Je me réveille un matin et je ne sais même plus combien il y a de provinces dans ce foutu pays, tu te rends compte, Gabriel ? En vérité, je te le dis… je sens que Dieu va reprendre ce qu'il m'a donné. La Vierge ne peut plus rien pour moi… Ils l'ont tuée ! Ils l'ont violée comme une petite pute de l'Oriente et ils ont abandonné son cadavre dans le parc Lénine… Et tous les petits pédés iront lui cracher dessus, et elle n'aura jamais de sépulture… Oh, mon Dieu…

Et l'incroyable arriva : Fidel Castro se cassa en deux, visage congestionné, mains tremblantes toutes bleues, veines du cou saillantes, la mort à l'œuvre envoyait ses chevau-légers en éclaireurs. Et il se mit à pleurer. Oui, à pleurer, un dictateur ça pleure aussi, t'as pas la berlue, petit Poulpe. Le vieillard pointa un doigt tremblotant sur la poitrine de Gabriel en séchant ses larmes.

– Je suis un homme seul, Gabito. Les puissances de la mort sont à pied d'œuvre. Personne ne peut rien pour moi. Pas même ma pauvre Dalia.

— Et Raúl ?

— C'est le seul homme de Cuba à qui je puisse tourner le dos sans craindre de me faire poignarder. Mais si je meurs, il ne fera pas le poids. Il est incapable de tenir un discours cohérent. La seule personne qui pourrait m'aider, c'est *toi* ! Toi, tu peux…

— Moi ? Mais je ne connais rien à ce pays !

Fidel empoigna le genou de Gabriel et le fixa droit dans les yeux.

— Tais-toi… J'ai toujours tenu mes enfants à l'écart de la politique, à part Fidelito, mais c'était dans une autre vie… Ils n'ont pas plus de conscience politique qu'un âne de Biran. Ils ne sont même pas inscrits au CDR, ces bourricots ! Je n'ai pas d'héritiers. Mais toi, Gabriel, je sens que tu es différent… Je pourrais même offrir l'asile politique à ton ami Cesare Battisti si ces chiens de Français décidaient de l'extrader.

— Battisti… Mais…

— Ne fais pas ta sainte-nitouche, Gabito. Je connais tout de toi. Et je te préviens : j'ai un flair infaillible. Si tu envisageais de conspirer contre moi, je le saurais avant même que tu y penses. Qu'as-tu à répondre à cela ?

— Je peux parler franchement ?

Fidel lissa lentement sa barbe. Il s'empara de la bouteille de rhum, remplit les verres et trinqua avec son hôte. Le geste avait valeur d'assentiment.

— Sans vouloir vous offenser…

— Jésus te pardonnera tes offenses. Dis ce que tu as sur le cœur, je t'écoute.

– Je… je crois que vous faites fausse route, *Comandante*.

Le dictateur se décomposa.

– Fidel ne se trompe jamais, martela-t-il. Il n'est pas venu au monde pour *ça* ! La Vierge del Cobre ne le permettrait jamais ! JAMAIS, TU M'EN-TENDS !

– Vous ne vous êtes *jamais* trompé ? lança naïvement Gabriel, qui commençait à macérer dans les vapeurs de rhum.

À sa grande surprise, le *Comandante* se mit à ricaner, hilare.

– Ah, ah, je te vois venir… Oui, j'ai fait fausse route. *Une fois*. Avant l'assaut de la Moncada… À cause de moi, tout a marché de travers. J'étais myope, je ne voyais pas à dix mètres, je me suis payé le trottoir. Mais à part ça… Je ne me suis jamais trompé, tu m'entends ! Cet échec portait le ferment de la Révolution, il était *écrit*… N'en déplaise à ce petit merdeux de Français !

– Je croyais qu'il avait pris la nationalité canadienne, remarqua Gabriel.

– Je ne parle pas de Dante, imbécile ! Je parle de ce petit historien révisionniste payé par la CIA qui vient de publier ma biographie… Je n'ai pas eu peur, je savais que nous allions gagner.

– La peur est parfois salutaire, laissa tomber Gabriel.

Castro le fusilla du regard. Cette fois, il était foutu. La voix de Pedro, moqueuse. *Passer par*

*les armes, Gabrielito. Dos de mayo. On té
dressera oune statue du martyr inconnu. Et personne pour disperser tes cendres, amigo…* Fidel
se prit longuement la tête entre les mains avant de
répondre, les yeux exorbités. Gabriel attendit,
prêt à recevoir le coup de grâce.

Mais ce qu'il entendit le stupéfia.

— Oh, oui, j'ai connu la peur, Virgen del
Cobre, maintenant, je peux le dire… J'ai peur
d'avoir des enfants noirs, peur de porter la
semence du diable. J'ai peur lorsque l'aviation de
Batista nous bombarde dans la sierra. J'ai peur
lorsque je traverse le Rio Grande à la nage. J'ai
peur quand je sauve ce maudit curé de la noyade.
J'ai peur quand je coule à Cayo Piedras. J'ai peur
quand je croise le regard d'Ochoa. J'ai peur
quand je baise les mains du pape. J'ai peur quand
ce vendeur de *peanuts* de Carter parle du projet
Varela à la tribune. J'ai peur que tu ne viennes
pas quand je t'invite à Cuba. J'ai dressé la liste
avant de me confesser, tu veux que je te la
montre, Gabito ? Ça te ferait bander, hein !

— Non, non.

Fidel Castro palpa les poches de sa veste.

— Attends, attends… Mais qu'est-ce que j'ai
bien pu faire de ce putain de carnet !… Ah, j'ai
dû le laisser dans la poche de mon treillis.

Gabriel se resservit un autre verre, tandis que
Fidel passait un coup de fil à son secrétaire de
son téléphone mobile. Le carnet qu'il avait glissé
dans l'une des poches de poitrine de son baggy,

après la séance chez le *babalao*, non sans l'avoir auparavant recouvert de la couverture du Guide du routard. Et qu'il n'avait même pas pris le temps d'ouvrir. Une fouille au corps des gorilles, et il était foutu. Son cœur battait sur une mine. L'espace d'une seconde, il crut que Fidel lisait dans ses pensées.

— Au fait, j'ai quelque chose pour vous, fit-il.

Les yeux du vieillard s'illuminèrent.

— Tu as retrouvé mon carnet ?

— Euh, non, c'est juste un poème… J'ai rencontré un homme à La Havane. Il était un peu, enfin, je crois qu'il déraisonnait… Il voulait m'offrir une statuette. Il m'a écrit un poème. Il m'a dit « quand tu verras Fidel, donne-le-lui de ma part », alors voilà, je vous le donne.

Gabriel tendit la feuille volante sur laquelle Angel avait écrit le poème. Tout cela ne semblait pas surprendre le moins du monde Fidel.

— La dernière fois que je suis passé à Paris, Depardieu m'a récité quelques pages de Saint-Augustin [1]. Le petit voyou, il a du coffre, il te ferait presque croire en Dieu… Lis-le moi, Gabito. Et essaie d'y mettre le ton, s'il te plaît.

— Ça va être dur, après Depardieu.

— C'est un ordre ! s'emporta Fidel.

---

[1] Authentique. Castro rentrait alors du sommet des Pays non alignés en Malaisie, en janvier 2003. Pendant son escale à Paris, aucune personnalité française ne l'avait rencontré, à l'exception de son ami Gérard Depardieu.

Gabriel déplia le bout de papier avec les pattes de mouche et l'adresse d'Angel.

— Bon, allons-y… *Madre, hoy le oyo estas palabras estando sentado en un parque con su hijo, estimada madre cuanto no quisiero ya tener. Su hijo…*

— Il n'y a qu'une seule *madre*, c'est la Révolution ! s'énerva Fidel en lui arrachant le papier des mains. (Poing droit levé, il déclama :) À l'intérieur de la Révolution, tous les droits ! En dehors de la Révolution, *nada* ! Comme le temps passe, Gabito…

Fidel était hors de lui. Il retourna le papier dans tous les sens et s'esclaffa soudain.

— Pourquoi riez-vous, *Comandante* ? Vous le connaissez ?

— Angel Cuadrado… Non, je ne le connais pas, mais je connais cette adresse… *57, calle Tejadillo*. Bon sang, je connais cette adresse !

Fidel se gratta furibardement la nuque.

— Peut-être l'un des endroits où vous avez dormi ? suggéra Gabriel.

— Attends, attends… Si seulement je savais où j'ai mis ce putain de carnet…

Le dictateur composa un numéro sur son téléphone portable, échangea quelques paroles vives et raccrocha, exaspéré.

— Et Carlos qui ne retrouve pas ce putain de carnet…

Une bonne minute passa. Fidel se rongeait les ongles. Gabriel n'osait le déranger, la main posée

sur la poitrine, à l'endroit précis où… Il appuya
sur la touche bis de son portable.

— *Carlos… 57, calle Tejadillo, Vieja Habana…
Que pasa alli ?*

Vingt secondes de silence.

— *Gracias*, Carlos.

Le Commandant en chef hochait lentement la
tête.

— 57, calle Tejadillo, lança-t-il en se frappant
le front. C'était celle de mon premier cabinet
d'avocat. C'est le début de la fin, Gabo… Allons
retrouver Moritz et les autres, décréta-t-il d'un
ton lugubre. Rome ne s'est pas faite en un jour, la
route est encore longue, si nous voulons faire
décoller cette île.

35

La Cubaine en uniforme s'avança, un plateau à la main. Gabriel ne put s'empêcher d'admirer son cul. Elle disposa les coupes de cristal sur la table puis y versa un peu de vin.

– Qu'est-ce que c'est ?

– *Vino rojo.* Après des années d'infécondité, l'obstination a fini par payer. Les Étasuniens ont trouvé de l'eau sur Mars, mais moi, Fidel, j'ai fait pousser la vigne à Cuba ! Mon ami Depardieu m'a été d'un grand secours sur ce coup-là, je dois dire.

Fidel Castro s'était ressaisi, avait repris des couleurs. À présent, ils étaient tous réunis autour d'une table de la salle à manger de la villa. Tentures rouges, parquet, lustres, le décorum était à la hauteur de l'amphitryon. Fidel leva sa coupe.

– *Salud !* Ceci est mon sang, Gabito. *El sangre del pueblo cubano.*

Son regard noir de prédateur le transperça. Il n'avait pas l'air de plaisanter. Ils trinquèrent. Gabriel but, bien obligé.

– Alors, que penses-tu du vin de Cuba ?

Son secrétaire lui chuchota quelques mots à l'oreille.

— Carlos me rappelle ton aversion pour le vin rouge. Mais tu as tort. Le vin rouge contient des flavanoles, extrêmement bénéfiques contre les risques de maladies cardio-vasculaires. Avec le roquefort, c'est excellent, crois-moi.

— Encore une fois, je dirai que la parole du *Comandante* vaut son pesant d'or, fayota Dante.

— *Quien habla de oro ?* demanda Fidel en toussotant. Toi, Moritz ? Toi qui ne cesses de proclamer les vertus cardinales du travail, de la famille et…

Le secrétaire se pencha à l'oreille de Fidel, qui poursuivit :

— Et de la patrie ! Comment ai-je pu l'oublier, celle-là !

— *Patria o muerte !* s'écrièrent d'une seule voix Dante et le secrétaire.

D'un œil roublard – c'est vrai qu'il n'était pas si mauvais que ça, ce petit pinard de Pinar del Rio –, Gabriel interpella Moritz.

— J'ai bien entendu « travail, famille, patrie » ?

— Tu as parfaitement entendu, camarade Gabriel. Il faudrait peut-être arrêter de se voiler la face avec ces conneries, *mierda de Dios* ! Le maréchal Pétain n'avait pas que de mauvais côtés. Et puis, lui, il n'est pas allé se planquer à Londres comme de Gaulle ! *Dixit* Houellebecq.

— Cessez de vous chicaner, mes petits ! s'époumona Fidel. Faites-moi plaisir, essayez d'être un peu moins latins de temps en temps ! (Il se tourna vers Gabriel.) Alors, que t'inspirent ces fortes paroles de notre ami Moritz ? Tu aimes de Gaulle ?

— Euh, je…

— Le général de Gaulle était un seigneur, c'est ça que tu dois répondre, petit branleur ! De Gaulle… Napoléon… Gérard Depardieu… José Bové… Voilà des Français qui ont des couilles !… Ah, le roquefort ! Tu as déjà rencontré José Bové, Gabito ?

— Non. Mais mon parrain Pedro, oui.

— Pedro, rugit Castro, plein de nostalgie. Comment va-t-il ?

— Mais il est mort, répondit Gabriel.

— C'est vrai, j'avais oublié… *Que tristeza !*

Gabriel s'éclaircit la voix, puis, doctement, ainsi qu'il convient au fils du père qu'il était, il déclara :

— Les hommes comme Pedro ne meurent jamais, *Comandante*.

— J'aime quand tu parles ainsi, fils. Qu'on m'apporte mon milk-shake, cria Fidel en claquant des doigts.

La servante en uniforme s'approcha. Gabriel laissa encore une fois ses yeux errer sur son popotin.

— Désolée, *Comandante*, il n'y a plus de lait. Toutes les vaches de l'île sont taries.

— Femme, de quoi te mêles-tu ?

Fidel se tourna vers son secrétaire.

– Qu'attends-tu pour aller traire Urbe Branca [1], Carlos?

– Urbe Branca est morte, *Comandante*, répondit le secrétaire, masquant mal sa consternation.

– J'avais oublié, *compañero*. Ma pauvre tête… Tant pis, je boirai du vin. Où en sont les travaux sur le clonage des vaches, camarade ministre? ajouta Fidel à l'intention d'un chauve à l'air pas commode qui tétait un cigare.

– Ça avance, ça avance.

– Fort bien, fort bien. Que les noces commencent!

– Les noces? murmura Gabriel.

Fidel tapa du poing sur la table.

– Il est grand temps pour toi de prendre épouse, mon fils!

Gabriel se décomposa.

– Épouse, mais…

Fidel le fixait d'un air gourmand.

– Si tu veux régner sur cette île, il te faut prendre femme. Ne fais pas comme moi, ne la laisse pas dans l'ombre… Les femmes ont besoin de soleil, sinon elles se ternissent, elles se ratatinent… Et après…

---

1 Urbe Branca, la vache personnelle de Fidel Castro, était réputée pour son pis miraculeux. Castro en fit une sorte d'héroïne nationale, et ses rendements laitiers firent l'objet d'un « feuilleton » dans le quotidien *Granma*. À sa mort, une statue d'Urbe Branca fut érigée à La Havane.

Castro claqua des doigts, et en moins de temps qu'il n'en faut à un Comité de riposte rapide pour répudier un ennemi de la Révolution, tous ceux qui attendaient dans l'ombre du *Comandante* rappliquèrent autour de la table. Outre Fidel, Dante, son secrétaire, le père Azorino, le docteur Trinh et Gabriel, il y avait là le chef de la Sécurité ; un grand homme sec et cassant qui ne devait pas avoir rigolé depuis la dernière visite de Khrouchtchev et qu'il présenta comme le chef du protocole. Deux septuagénaires en uniforme vert olive bouffis d'admiration pour Fidel et deux types d'une trentaine d'années en tee-shirt Lacoste, qui ne lui avaient pas été présentés, complétaient le tableau. Gabriel constata que Carlos Lage n'était pas là. Il compta et recompta les convives. Douze. Ils étaient douze.

Douze avec Fidel.

Fidel leva le bras droit et, faisant tournoyer sa main, index tendu comme aux heures de gloire de la Révolution, il commença ainsi sa harangue :

– Dans la Sierra Maestra, nous étions douze apôtres. Et nous voici de nouveau douze. Mais dans la Sierra, notre faim était notre supplice de Tantale. C'était un peu comme qui dirait... notre *période spéciale*...

Les invités se forcèrent à rire. À l'exception de Dante, qui lança très cauteleusement :

– Je ne voudrais pas donner l'impression de chipoter, *Comandante*, mais il me semble qu'il reste une place vacante.

Fidel lui jeta un regard noir.

— J'attends quelqu'un, grommela-t-il dans sa barbe.

Gabriel comprit tout à coup. *Les noces !* Ah, il s'était bien moqué de lui ! Les noces de Cana, pardi. La Cène. *Nous y voilà.*

— Votre épouse ? demanda Dante.

— Dalia ne viendra pas, déclara Fidel. Ma petite infirmière a dû se rendre au chevet de sa sœur malade. Elle est bien méritante.

— Raúl ?

— Raúl ne viendra pas, déclara Fidel. Mon petit frère est souffrant.

— J'y suis ! s'écria Dante. C'est le petit Elian.

— Eliancito est à l'école, Moritz.

— Ah, euh, oui. Gabriel Garcia Marquez ?

— Gabito est en Colombie. Il ne va pas très fort non plus.

— Oliver Stone ?

— Il a terminé son film [1]. Il a quitté Cuba depuis longtemps.

— Carlos Lage ?

— Sa vieille Lada est tombée en panne, il n'a pas de pièces de rechange, il est très malheureux.

— Alors qui ? s'impatienta Gabriel.

— Qui, demandes-tu ? Il manque une femme. Ta femme, Gabitito.

---

1 Le cinéaste Oliver Stone a réalisé un documentaire sur Fidel Castro, *Comandante*.

– Ma femme, mais…

– Ne t'ai-je pas parlé de noces ?

Gabriel était trop secoué pour savoir que répondre.

Fidel Castro décrocha son téléphone mobile.

– Amenez-la ! Amenez Marie-Madeleine, ajouta-t-il après avoir raccroché, savourant sa joie.

– Marie-Madeleine ? Mais…

– Tu as bien décidé d'épouser une putain, non ? hurla Fidel dans une formidable quinte de toux. Une putain cubaine, ah, ah ! Tu as bien fait, mon petit, les putains cubaines sont les plus cultivées de la planète.

Les disciples de Fidel n'osaient réagir. Tout le monde retenait son souffle. Alors le maître frappa dans ses mains, d'un geste ample et lent, plein de grandiloquence.

Et Gabriel la vit arriver.

Enveloppée dans une robe longue à fleurs qui la moulait des chevilles au menton. Un oiseau de paradis.

– Odalia !

Il avait du mal à retenir ses larmes.

Le chef de l'État se leva pour l'accueillir, la prit dévotement par la taille, d'une main qui ne tremblait pas pour une fois, lui indiquant la place libre à côté de lui.

– Prends place à notre table, Marie-Madeleine.

Odalia protesta, elle ne s'appelait pas Marie-Madeleine, ce n'était pas une *jinetera*, c'était une amie. Mais ça ne servait à rien. Ainsi en avait décidé Fidel.

— Aujourd'hui, tu t'appelles Marie-Madeleine, et je te prierai de ne pas me contredire si tu ne veux pas finir comme sainte Blandine. Tu viens d'Oriente, je suppose ?

— Oui, *Comandante*.

— On me dit que tu es native de Biran, comme moi. Est-ce vrai ?

— Oui, *Comandante*.

— Bien, bien.

Fidel délaissa la jeune fille, qui se lova dans le giron de Gabriel. Son corps était trempé de sueur.

— Mais qu'est-ce que tu fais là ? murmura-t-il. Je pensais que je ne te reverrais jamais.

— Deux hommes sont venus me chercher après ton départ, souffla-t-elle. Ils étaient déjà à l'hôtel Ranchero quand tu es parti.

— Et Balthazar ? Ils ne lui ont pas fait de mal, au moins ?

— Non, non, il venait juste de partir…

— Ils l'ont laissé partir ?

— Je ne sais pas… J'ai peur, mon chéri… C'est quoi ce casting ?

— Pas de messes basses sans curé, les amoureux ! plaisanta Fidel, et ses disciples rirent, y compris le père Azorino. À présent que tout le monde est là, j'ai une déclaration importante à vous faire…

Il inspira longuement, comme s'il allait se lancer dans une violente diatribe, mais les mots semblaient prisonniers de sa bouche. L'assistance était suspendue aux lèvres du dictateur, qui resta prostré pendant une longue minute, le visage défait, comme paralysé.

– J'ai deux nouvelles à vous annoncer, *compañeros*. Une bonne et une mauvaise... Je vais commencer par la mauvaise...

Fidel reprit sa respiration.

– Vous connaissez tous Moritz Dante, qui vient de prendre en charge le tout nouveau ministère de la Dialectique et nous exposera tout à l'heure ses projets pour notre patrie. Mais vous vous demandez sans doute qui est ce jeune homme, ajouta-t-il en désignant Gabriel. Votre curiosité est bien légitime, et elle sera satisfaite... Mais avant cela...

Fidel se tourna vers Dante assis en face lui et, d'un geste autoritaire, lui fit signe de se lever. L'écrivain pointa son pouce sur sa poitrine. Fidel acquiesça, hochant gravement la tête.

– Mais on n'avait pas dit que... bafouilla Dante, restant obstinément assis.

Fidel le pointa d'un index accusateur.

– *Levantate, Eutimio Guerra !*

– Eutimio Guerra [1] ? Mais... qu'est-ce que c'est que ce délire ?

---

1 Nom du jeune paysan qui, le 30 janvier 1957, trahit Fidel Castro en indiquant la localisation des rebelles auprès des soldats de Batista. Il fut exécuté quelques jours plus tard.

— Inutile de nier, sale petit pédé !... Dante, mon ami, tu m'as beaucoup déçu. Ou peut-être devrais-je t'appeler... JUDAS !

Dante prit Gabriel à témoin.

— C'est quoi, c'délire ! J'ai trahi personne, moi. J'en dirais pas autant de tous ceux qui sont autour de cette table, ajouta-t-il après un coup d'œil circulaire.

— Dante, mon ami, tu as essayé de me rouler dans la farine avec tes sornettes. Mais on ne roule pas Fidel... Tu pensais vraiment que j'allais croire à ton histoire d'Armageddon... Gog et Magog ! Tu me prends pour l'abruti de la Maison blanche ou quoi ?

— Vous avez tort de prendre ces menaces à la légère, *Comandante* ! s'écria Dante.

— Je vais te faire ravaler ton impudence, moi ! vitupéra Fidel en claquant des doigts. Général !

Le militaire assis en face de lui poussa une chemise rouge devant lui.

— *Gracias, Humberto.*

Humberto Francis Pardo, chef de la Sécurité cubaine.

Fidel Castro tapota la pochette d'une main tremblante.

— J'ai les chemises dans cette preuve... Euh, je veux dire... J'ai dans cette chemise les preuves.

Dante s'essuya le front.

— Les preuves ? Les preuves de quoi ?

— Les preuves de ta duplicité, les preuves de ta trahison, fripouille !

— Mais…

Castro frappa du poing sur la table.

— Ta gueule, Moritz ! Tu as essayé de m'entourlouper avec ta dialectique de bazar, mais tu oublies par qui j'ai été formé. Les Jésuites m'ont appris l'art de la dissociation. Je t'ai confondu ! Le moment est venu d'expier tes fautes, Moritzio Dante !

Le dictateur écumait, son doigt accusateur clouait le pauvre Dante au pilori.

— J'ai les preuves que tu es payé par la CIA, sale petit pédé juif-québécois !

— Mais… *Comandante* !

— Le subterfuge était habile, señor Dante, mais heureusement, nous avons déjoué tes plans. Grâce à toi, Gabriel… Je ne veux plus voir ce suppôt de Yanki ! *Vade retro, Dante Gusano… Vay, vay, vay…*

D'une main énergique, Fidel Castro balaya l'air, puis il appuya sur un bouton dissimulé sous la table. Deux militaires firent irruption dans la pièce.

— Emmenez-le ! cria-t-il, écumant de rage. Va retrouver Batista dans le dixième cercle de ton enfer chéri, Dante ! Va retrouver tes complices à Boniato, petit mercenaire de merde !

Un silence de mort accueillit la sentence. Les soldats empoignèrent Moritz Dante par le col du treillis et l'embarquèrent *manu militari*.

— *Viva la Révolucion !* hurlait-il en traînant des pieds Vous commettez une grave erreur,

Comandante! Un déluge de feu s'abattra sur La Havane! Babylone sera rasée! Cette île ne sera plus que cendres!

– Faites-moi disparaître cette vermine au centre de la terre! hurla Fidel. Tu verras de quel bois elle se chauffe, mon île! Je ne veux plus jamais entendre parler de toi, Moritz Dante. Tu n'as jamais existé... Tu es un non-être! Un *gusano*! Va rejoindre Arenas et tous les petits traîtres vindicatifs au paradis des pédés passifs! Et tu donneras le bonjour à Ceausescu, aussi... Ah, ah! Ah, ah, ah!

Fidel brassait l'air de ses bras puissants, il ne contrôlait plus ses gestes, son corps penchait dangereusement sur le côté gauche, tanguait un instant et partait visiter l'autre rive puis revenait. Des mains charitables tentèrent de le ramener à la verticale, de le ramener à la raison, mais la tâche était impossible. Le Commandant en chef ânonnait des mots sans queue ni tête, vociférait, régurgitait, crachait, s'étouffait, s'essuyant les lèvres d'un revers de manche épileptique, ôtant sa casquette à visière pour éponger la sueur de son front, dans ses yeux passaient de longs éclairs de haine et de colère, et quelque chose de bien plus fort encore, qui n'avait pas de nom, quelque chose qui n'appartenait pas à un être vivant, quelque chose qui appartenait à un dieu, à un dieu qui était...

Mort!

La vision épouvanta Gabriel.

Le Commandant en chef était déjà mort. Plusieurs fois sous ses yeux. Il était mort. Il était ressuscité. Il passait d'un état à l'autre comme un homme passe de la joie la plus éclatante à la plus noire des tristesses. Chaos, folie. Fidel était mort et pourtant il était bien là, solide comme un roc, tribun invincible, carcasse d'airain que rien ne pouvait abattre. 657 attentats. 657 fois Fidel était mort, 657 fois il était *ressuscité*. 657 fois la vierge de la Charité de Cobre lui avait donné le petit coup de pouce nécessaire, encore neuf tentatives et il allait communier avec le nombre de la bête… La CIA, le blocus américain, le pape, la Commission des droits de l'Homme de l'ONU, les Yucas de Miami, la dengue, la famine, les épidémies, le projet Varela, personne ne pouvait rien contre lui, il était immortel. Il avait passé sa vie à ça, aller et venir entre la vie et la mort. Mais la mort, c'était toujours celle des autres. La mort, il en avait fait son commerce de prédilection, jouant avec la vie de ses congénères comme un Dieu qui n'a de comptes à rendre à personne. Comme si Cuba était une province des ténèbres.

Comme si Cuba n'existait pas.

Douze notes de musique arrachèrent Gabriel à sa rêverie.

L'Internationale.

Les premières notes de la mélodie de Pierre Degeyter venaient de retentir dans la pièce.

Dans la poche. La poche de sa vareuse. La vareuse d'éternité du *Comandante*

Mâchoires crispées, yeux incendiaires, lèvres palpitantes.

Il décrocha péniblement son portable, ses mains tremblaient. Il lança quelques mots en français, tout en se tournant vers Gabriel.

— *Gabriel ? Mais oui ! De la part de qui ?... Las zapatas ?... Attendez, mademoiselle, je vous le passe... Quien soy ? Yo soy el Comandante en jefe, señora. Yo soy Fidel ! YO SOY FIDEL CAS-TRO !!!*

Il tendit le combiné à Gabriel.

— *Para ti, hijo.*

Gabriel colla l'appareil sur son oreille.

— Allô ?

— Allô, vous êtes bien Gabriel ?...

Une femme. Française. Douce voix.

Il n'en entendit pas plus. À ce moment précis, le Commandant en chef s'effondra sur la table.

Gabriel laissa tomber le portable et se précipita aux côtés du vieillard, lui tapota les joues, lui prit le pouls, releva la tête, paniqué.

— Un médecin ! Il faut appeler un médecin... Docteur Trinh !

Personne ne réagissait. L'acupuncteur asiatique alla pour se lever mais l'homme en uniforme assis à ses côtés le retint fermement par le bras.

— Mais qu'est-ce que vous faites ? Vous n'allez tout de même pas...

Gabriel avait compris. Il pensa à la mort de Joseph Vissarionovitch Djougatchvili. Il n'avait pas dix ans quand Pedro lui avait raconté les derniers instants du camarade Staline. Il s'était toujours demandé si Pedro lui avait raconté des craques, mais maintenant il savait. Ça avait dû se passer exactement comme ça. On ne s'était pas précipité pour le ramener à la vie. Ils n'en avaient plus rien à faire. Tous ceux qui étaient là avaient envie de le laisser crever. Et petit frère Raúl n'était pas là. Dalia non plus n'était pas là.

– Mais vous ne pouvez pas le laisser…

Gabriel Lecouvreur n'acheva pas sa supplique. Il pensa à ses parents morts sur une départementale du Midi de la France et relâcha rageusement le poignet du vieux. Ses parents assassinés par un flic des RG à la botte d'un dictateur. Trois lignes dans le journal. Tout le monde s'en fichait. Comment croire à une chose aussi.. *monstrueuse*? Fidel Castro allait mourir, c'était sûr, c'était une question de secondes, de minutes, d'heures, de semaines, de mois, d'années. Il attrapa Odalia par le bras, l'entraîna à l'autre bout de la pièce, jusqu'à l'escalier. Personne ne les en empêcha, pas même les militaires. Il courut, courut. Odalia légère comme une plume, même pas morte de peur, irréelle dans sa longue robe à motifs, putain qu'elle était belle. Un Cubain n'a peur de rien, tu devrais savoir ça, Gabriel. Ils descendirent plusieurs centaines de marches et se retrouvèrent à l'entrée d'un long couloir blanc. *Le long couloir blanc au bout duquel était stationné l'avion*. Il ne put s'empêcher de rire. *Non, pas un*

Polikarpov! ce ne serait pas… Ils ne rencontrèrent personne. Aucun soldat, aucun garde du corps, aucun Cubain patibulaire ne se mettait en travers de leur route. Au bout du couloir, une lourde porte en fer avec digicode. Sept chiffres. 1, 2, 3, 4, 5, 6, 7. Autant de lettres. A, B, C, D, E, F, G.

Gabriel prit sa respiration. Il pianota 2, puis 6. Quinze secondes d'hésitation. Il tapa sur la lettre M.

Et le miracle opéra.

– J'ai vraiment le cul bordé de nouilles, aujourd'hui.

– *Codigo bueno,* fit une voix métallique. *Contraseña, por favor.*

– Et merde ! lança Gabriel.

– *Contraseña mala,* lança la voix. *Trae otra por favor.*

– *Patria o muerte !* s'écria-t-il.

– *Contraseña mala. Trae otra por favor.*

– *Moncada veinte seis !*

– *Contraseña mala. Trae otra por favor.*

– *Cuba libre !*

– *Contraseña mala. Cuidad, ultima prueba.*

Gabriel se tourna vers Odalia.

– T'as pas une petite idée ? chuchota-t-il.

Elle se mordillait les doigts.

– L'Oiseau bleu ! s'égosilla-t-elle soudain.

Et la porte s'ouvrit.

– T'es vraiment géniale, Odalia. J'aime bien quand tu parles français.

Il l'embrassa sur les deux joues. Poussa la porte. Un autre couloir de deux mètres de long.

Palier. Escalier. Trente marches en béton. Esplanade à ciel ouvert. Un embarcadère. Ils étaient sur le petit port qu'on apercevait de la villa. Un homme armé d'un fusil-mitrailleur montait la garde à l'entrée du quai. Dix mètres plus loin, les deux vedettes rapides au mouillage, *L'Oiseau Bleu* et *El Yaraguamas*.

– *Que pasa, compañero Gabriel ?*

– *Ha muerto Fidel !*

Une chance sur deux pour que ça marche. Si le type est fidèle de chez Fidel, *ha muerto Gabriel*.

L'homme laissa échapper un juron.

– *Muerto ? Fidel... Ha muerto Fidel ?*

– Il est mort, je te dis.

En français, ça paraissait encore plus irréel. Le soldat pointa son œil d'un index survitaminé.

– *No es una chiste* [1] *?*

– *No, no*, acquiesça Gabriel. *Ha muerto.*

– *Has visto el cadaver ?*

– *He visto. Embolia.*

Le soldat laissa échapper un sourire.

– Qui lui succède ? demanda-t-il.

– À ton avis ? demanda Gabriel.

L'homme n'hésita pas longtemps.

– *Raúl ?*

– *Raúl.*

– *Raúl ! Vay, vay, vay...*

Le soldat s'empara de son talkie-walkie.

---

1   C'est pas une blague ?

– *Anastasio, Anastasio… Ha muerto Fidel !*

Quelques secondes passèrent.

– *Su hermano, Raúl…*

Quelques secondes encore. Gabriel sentit qu'il allait pisser dans son froc.

– *Vamos*, ajouta enfin le soldat. *Que alegria !*

– Laquelle des deux on prend ? demanda Gabriel en montrant les deux vedettes.

– *L'Oiseau bleu*, fit Odalia.

Ils embarquèrent.

Cinq minutes plus tard, la vedette glissait sur les eaux, avec à son bord Gabriel, Odalia, le soldat, le pilote et huit autres Cubains rameutés au pas de charge.

Gabriel la serra dans ses bras.

– Aïe !

La jeune fille se massa la poitrine.

– Qu'est-ce que tu as dans ta poche ?

– Rien, fit Gabriel. C'est juste un carnet.

Le carnet rouge, avec tous les secrets de Fidel Castro.

– Mais comment t'as trouvé le mot de passe, Odalia ? Tu connaissais ce bateau ?

La jeune fille lui fit signe d'approcher et lui glissa à l'oreille :

– Je…

Ses mots furent couverts par des détonations d'armes automatiques, une trentaine de mètres plus haut.

Épilogue

Paris, rue d'Auteuil, une demi-heure plus tôt.
Une heure qu'elle attendait. Elle en avait marre. La mère Jonak aussi attendait, postée derrière la vitrine de sa boutique de chaussures. Le type ne viendrait sans doute jamais. Ça lui apprendrait à être aussi naïve. Elle regarda la carte de visite qu'il lui avait laissée, hésita, finit par composer le numéro du portable. Trente secondes passèrent.

– Allô ? Je voudrais parler à Gabriel, pour les chaussures…

– Gabriel ? Mais oui ! De la part de qui ?

– Je… je ne sais pas si mon nom lui dira quelque chose. Nous nous sommes rencontrés il y a…

– Attendez, mademoiselle, je vous le passe…

– Euh, excusez-moi, monsieur, mais vous êtes qui exactement ?

– *Yo soy el Comandante en jefe, señora. Yo soy Fidel !*

La jeune femme mit la main devant sa bouche. Petit signe de la main à ses deux copines qui l'attendaient dans le café, de l'autre côté de la rue.

— Non, mais t'as vu la tête qu'elle fait…

— Ma parole, on dirait qu'elle a vu une apparition !

La jeune femme venait de raccrocher. Elle traversa la rue et les rejoignit. Elle avait du mal à reprendre sa respiration.

— Alors, qui c'était ?

Elle s'assit en face de ses deux copines.

— Vous n'allez pas me croire, les filles…

— Ton amoureux t'a demandé en mariage ? fit la blonde.

Elle hocha la tête avec conviction.

— Alors ? s'impatienta la brune.

— C'est complètement dingue ce qui m'arrive…

— Dis-nous, on veut savoir.

Elle se mordilla les lèvres.

— Vous me jurez que vous n'allez pas me traiter de folle ?

— On jure !!!

— Je viens d'avoir Fidel Castro au bout du fil.

— Francine, là, tu déconnes !

— Faut vraiment que tu prennes des vacances, toi.

— Mais je te jure, Chantal, c'était bien lui. J'ai reconnu sa voix, on ne peut pas se tromper, quand même !

— T'es sûre que c'était pas Laurent Gerra ?

— Je te jure que c'est lui, Bénédicte…

— Et qu'est-ce qu'il t'a dit, Fidel Castro ? ricana la blonde.

– J'ai demandé à parler à Gabriel, pour les chaussures, et il a dit : « Je vous le passe », ensuite il a ajouté : « Je vous passe mon fils ». Je lui ai demandé qui il était, alors il m'a dit : « *Yo soy el Comandante en jefe. Yo soy Fidel ! Yo soy Fidel Castro !* »

– Et alors ? demanda la brune.

– Alors, ça a coupé presque aussitôt.

– Rappelle, pour voir.

– J'ai essayé. Ça ne répond plus.

– Si ça se trouve, il est mort !

– Tu te rends compte, si ça se trouve, t'es la dernière personne à avoir parlé à Fidel Castro !

Les trois filles éclatèrent de rire.

Février-mars 2004

RÉALISATION : COMPORAPID

GROUPE CPI

Achevé d'imprimer en avril 2004 par
BUSSIÈRE CAMEDAN IMPRIMERIES
à Saint-Amand-Montrond (Cher)
N° d'édition : 66208. - N° d'impression : 041972/1.
Dépôt légal : mai 2004.
Imprimé en France